W9-BLZ-446

101 BARBACOAS Y PARRILLADAS

DISCARD

DISCARD

Título original: *101 Barbecues and Grills*

Primera publicación por BBC Books, un sello de Ebury Publishing, una división de Random House Group Ltd. 2009

© 2009, BBC Magazines, por las recetas
© 2009, Woodlands Books
© 2009, BBC Magazines, por todas las fotografías
© 2009, Random House Mondadori, S.A.
Travessera de Gràcia, 47–49. 08021 Barcelona
© 2009, Fernando E. Nápoles Tapia,
por la traducción

Todas las recetas incluidas en esta obra aparecieron por primera vez en la revista *Olive*.

Todos los derechos reservados. Quedan prohibidos, dentro de los límites establecidos en la ley y bajo los apercibimientos legalmente previstos, la reproducción total o parcial de esta obra por cualquier medio o procedimiento, ya sea electrónico, o mecánico, el tratamiento informático, el alquiler o cualquier otra forma de cesión de la obra sin la autorización previa y por escrito de los titulares del *copyright*. Diríjase a CEDRO (Centro Español de Derechos Reprográficos, htpp://www.cedro.org) si necesita fotocopiar o escanear algún fragmento de esta obra.

Primera edición: febrero de 2010

Editora: Lorna Russel
Editora de proyecto: Laura Higginson
Diseño: Annette Peppis
Producción: Lucy Harrison
Búsqueda iconográfica: Gabby Harrington

Fotocomposición: Compaginem

ISBN: 978-84-253-4400-8

Impreso en Gráficas 94, S.L.
San Quirze del Vallès (Barcelona)

Encuadernado en Reinbook

Depósito legal: B-1286-2010

GR 44008

101 BARBACOAS Y PARRILLADAS

Sarah Cook

DISCARD

Grijalbo

Sumario

R05022 98256

Introducción

Las barbacoas se han hecho cada vez más y más populares. Son sanas, rápidas y versátiles, así como un buen pretexto para salir al aire libre. Además, si se cumplen unas cuantas reglas muy sencillas, cocinar a la barbacoa puede ser tan fácil o tan sorprendente como uno desee.

Tanto si se recibe a un grupo numeroso de invitados como si solo se improvisa una cena sencilla para los amigos o los familiares, aquí lo tenemos resuelto con 101 de nuestras recetas favoritas al fresco. En ellas encontrarás desde hamburguesas apetitosas hasta pescados enteros marinados, muchas ideas vegetarianas ingeniosas, y hasta algo de inspiración para preparar ensaladas y postres que se puedan mezclar y combinar todo lo que se quiera. Realmente, hay algo para todos los gustos. Por ejemplo, nuestra Falafel con salsa de tomate, que aparece en la página opuesta —la receta está en la página 118— es un plato favorito tanto para carnívoros como para vegetarianos.

Como siempre, todas las recetas se han comprobado tres veces por el equipo de *Good Food*, de modo que se puede confiar en que siempre se obtendrán muy buenos resultados. Además, para que este pequeño libro sea mucho más útil, hemos añadido varios consejos e instrucciones para cocinarlas dentro de la casa, en caso de que un cambio de tiempo produzca un fallo a última hora o, simplemente, apetezca una hamburguesa en diciembre. ¡Por lo tanto, lo único que hay que hacer es encender el fuego de la barbacoa y empezar a asar a la parrilla!

Sarah

Sarah Cook
Revista *Good Food*

Tablas de conversión

NOTA PREVIA

- Los huevos utilizados serán de medida grande (L), a menos que se indique lo contrario.
- Lavar todos los alimentos frescos antes de prepararlos.
- Las recetas incluyen un análisis nutricional del «azúcar», que se refiere al contenido total de azúcar, incluso todos los azúcares naturales presentes en los ingredientes, excepto que se especifique otra cosa.

TEMPERATURA DEL HORNO

Gas	°C	°C convección	Temperatura
¼	110	90	muy baja
½	120	100	muy baja
1	140	120	baja o suave
2	150	130	baja o suave
3	160	140	templada
4	180	160	moderada
5	190	170	media
6	200	180	media-alta
7	220	200	alta
8	230	210	muy alta
9	240	220	muy alta

MEDIDAS DE LAS CUCHARADAS

Las cucharas son rasas, salvo indicación contraria.

- 1 cucharadita = 5 ml
- 1 cucharada = 15 ml

RECETAS

Estas deliciosas hamburguesas están listas en 25 minutos aproximadamente.

Hamburguesas de salchichas con queso azul y salsa espesada

6 salchichas de cerdo
50 g de migas de pan fresco
4 cucharadas de salsa agridulce chutney de cebolla caramelizada
10 hojas de salvia fresca picadas
50 g de queso azul cortado en 4 trozos
4 panes de hamburguesa y ensalada para servir

35 minutos • 4 raciones

1 Cortar la tripa de las salchichas con unas tijeras y depositar la carne en un bol. Desechar la tripa y añadir las migas, 2 cucharadas de la salsa agridulce y la salvia. Mezclarlo todo a mano, dividir la mezcla en cuatro raciones, darle forma de hamburguesas e introducir el queso en el centro de cada una. Hay que asegurarse de que el queso ha quedado sellado dentro para que no se escurra mientras se cocina.
2 Asar las hamburguesas a la barbacoa durante 10 minutos por cada lado hasta que estén bien cocinadas. Abrir los panes por la mitad y rellenarlos con alguna ensalada favorita, una de las hamburguesas y el resto de la salsa agridulce.

• Cada hamburguesa contiene: 436 kilocalorías, 16 g de proteína, 27 g de hidratos de carbono, 30 g de grasa, 11 gramos de grasa saturada, 2 g de fibra, 9 g de azúcar y 2,71 g de sal.

El sabor del Caribe se añade a la barbacoa en este plato de pollo con salsa de mango.

Arroz y guisantes con pollo y salsa de mango

6 cucharadas de salsa agridulce chutney de mango
2 limas para ralladura y zumo
4 pechugas de pollo deshuesadas y sin piel
2 cucharadas de aceite de oliva

PARA EL ARROZ Y LOS GUISANTES
2 cucharadas de aceite de oliva
1 cebolla picada
2 dientes de ajo machacados
200 g de arroz de grano largo
400 g de alubias escurridas y lavadas
400 g de judías de careta escurridas y lavadas
500 ml de caldo vegetal
200 ml de leche de coco baja en grasa
1 ramita de tomillo fresco sin hojas
175 g de guisantes congelados

40 minutos, más el tiempo de adobo • 4 raciones

1 Calentar el aceite en un sartén y sofreír después la cebolla durante 5 minutos. Añadir el ajo, el arroz y revolver durante 1 minuto. Añadir los frijoles, el caldo, la leche de coco y sazonar. Llevar a ebullición, tapar y dejar hervir a fuego lento 25-30 minutos hasta que el arroz esté casi hecho. Añadir tomillo y los guisantes en los últimos 3 minutos de cocción y remover.
2 Mezclar la salsa de mango, la ralladura y el zumo de lima, el aceite de oliva, y sazonar. Calentar la barbacoa o una sartén a temperatura media-alta, untar las pechugas con un poco de la mezcla de salsa de mango y asarlas 6-8 minutos por cada lado. Apartarlas mientras se calienta el resto de la salsa de mango en la sartén. Servir el pollo con el arroz y los guisantes con la salsa de mango.

• Cada ración contiene: 702 kilocalorías, 50 g de proteína, 86 g de hidratos de carbono, 20 g de grasa, 7 g de grasa saturada, 11 g de fibra, 19 g de azúcar, 2,55 g de sal.

El cerdo con fruta es una combinación clásica. Se puede emplear melocotón o albaricoque en verano, y manzana o pera en otoño.

Kebab de cerdo y melocotón con ensalada de lechuga

500 g de filete de cerdo magro, desprovisto de cualquier grasa
2 melocotones
1 limón
2 cucharadas de miel de abeja clara
2 lechugas
100 g de berros
2 cucharadas de aceite de oliva
1 cucharadita de mostaza de Dijon

25-30 minutos • 4 raciones

1 Remojar ocho brochetas de madera en agua fría durante 20-30 minutos. Cortar el cerdo en dados grandes. Cortar los melocotones por la mitad y extraerles los huesos antes de trocearlos. Preparar una monda con medio limón y exprimir el zumo.

2 Separar 1 cucharada del zumo de limón, y mezclar el resto con la monda y la miel. Insertar por orden alterno los dados de cerdo y los trozos de piña en las brochetas. Untarlos con la mezcla de limón y miel, y asarlos a la barbacoa durante 10-12 minutos dándoles la vuelta regularmente hasta que estén cocinados.

3 Mientras, separar o escamochar las hojas de lechuga y mezclarlas con los berros. Batir el zumo reservado del limón con el aceite de oliva, la mostaza y un poco de condimento. Mezclarlos con las hojas de ensalada y servir con los kebabs.

• Cada ración (2 kebabs) contiene: 257 kilocalorías, 29 g de proteína, 11 g de hidratos de carbono, 11 g de grasa, 2 g de grasa saturada, 2 g de fibra, 11 g de azúcar, 0,58 g de sal.

Este entremés de pollo adobado de forma sencilla está aliñado con productos comprados en el mercado, y resulta perfecto si se tiene poco tiempo.

Meze de pollo a la plancha

4 filetes de pechuga de pollo deshuesado y sin piel
ralladura y zumo de 1 limón
2 cucharadas de aceite de oliva virgen extra, más un poco para rociar
2 dientes de ajo machacados
¼ cucharadita de tomillo seco
humus (puré de garbanzos), aceitunas negras y gajos de limón para servir

20 minutos • 4 raciones

1 Mezclar las pechugas con la ralladura de limón, 2 cucharadas de zumo de limón, el aceite de oliva, el ajo y el tomillo.

2 Sazonarlas y asarlas en una plancha caliente a temperatura media-alta o asarlas a la barbacoa durante 6-8 minutos por cada lado. Servir el pollo con una buena ración de humus, un chorrito de aceite de oliva y los gajos de limón.

• Cada ración contiene: 201 kilocalorías, 34 g de proteína, 1 g de hidratos de carbono, 7 g de grasa, 1 g de grasa saturada, 0 fibra, 0 azúcar añadido, 0,21 g de sal.

Para una alternativa más ligera e igualmente deliciosa, se puede sustituir el cerdo por gambas.

Cerdo a la oriental con ensalada de fideos de arroz

1 cucharadita de pasta de limoncillo
1 cucharadita de ralladura fina de raíz de jengibre fresca
½ chile sin semilla y muy picado
1 cucharadita de aceite de oliva
1 cucharada de salsa de pescado
4 chuletas de cerdo

PARA LA ENSALADA
200 g de fideos de arroz finos
2 cucharadas de salsa de pescado
ralladura y zumo de 1 lima
½ cucharadita de azúcar glas
½ pepino sin semilla y cortado en juliana
un puñado de hojas de menta fresca picadas

20 minutos • 4 raciones

1 Para preparar el adobo, mezclar la pasta de limoncillo, el jengibre, el chile, el aceite y la salsa de pescado. Untar el cerdo que se va a adobar mientras se prepara la ensalada.
2 Preparar los fideos según las instrucciones del envase. Escurrirlos, lavarlos con agua fría y volverlos a escurrir antes de ponerlos en un bol. Batir la salsa de pescado con la ralladura y el zumo del limón, y el azúcar. Verterla sobre los fideos fríos, y mezclarlos con el pepino y la menta.
3 Calentar la barbacoa o la plancha a temperatura media-alta y asar las chuletas durante 5 minutos por cada lado o hasta que estén bien cocinadas. Servir con la ensalada de fideos.

• Cada ración contiene: 500 kilocalorías, 38 g de proteína, 46 g de hidratos de carbono, 19 g de grasa, 7 g de grasa saturada, 2 g de fibra, 1 g de azúcar, 2,48 g de sal.

Este plato se puede preparar enseguida o, con tiempo, se puede guardar en la nevera un día para que los sabores obren su magia.

Pollo con jengibre

4 pechugas de pollo deshuesadas y con piel
1 cucharadita de granos de pimienta negra machacados con mano y mortero
1 raíz de jengibre fresco de 3 cm pelada y rallada
2 dientes de ajo machacados
1 cucharada de salsa de soja
1 lima para ralladura y 2 para zumo, más otras cortadas en gajos para servir

30 minutos • 4 raciones

1 Hacer tres cortes en cada pechuga y ponerlas en un plato llano. Mezclar la pimienta, el jengibre, el ajo, la salsa de soja y la ralladura y el zumo de lima, y verterlos sobre el pollo. Dejar en adobo un mínimo de 10 minutos y un máximo de 24 horas en la nevera.

2 Asar las pechugas a la barbacoa o a la plancha a una temperatura moderada durante 6-8 minutos por cada lado hasta que estén cocinadas. Ponerlas en una fuente y servirlas con gajos de lima para exprimirles el zumo por encima.

• Cada ración contiene: 225 kilocalorías, 37 g de proteína, 2 g de hidratos de carbono, 8 g de grasa, 2 g de grasa saturada, 0 fibra, 1 g de azúcar, 0,87 g de sal.

Añadir un chorrito de leche de coco al adobo de pasta de curry contribuye a mantener el pollo húmedo, sin provocar llamaradas o humo como con el aceite. Se puede añadir una cucharada de yogur natural.

Kebab de pollo con curry a la tailandesa

2 pechugas de pollo deshuesadas, sin piel y cortadas en trozos grandes
2 cucharadas de pasta de curry tailandés
2 cucharadas de leche de coco
1 pimiento rojo sin semilla y troceado
1 calabacín cortado por la mitad y troceado
1 cebolla roja o morada cortada en trozos grandes
1 lima cortada en gajos para la guarnición
arroz condimentado con hierbas aromáticas y ensalada de verduras para servir

20 minutos • 2 raciones (fácilmente dobles)

1 Encender la barbacoa o calentar la plancha a temperatura alta. Poner el pollo, la pasta de curry y la leche de coco en un bol, y mezclar hasta que los trozos de pollo estén cubiertos completamente.
2 Ensartar los vegetales y los trozos de pollo por orden alterno en cuatro brochetas y asarlos a la barbacoa o la plancha durante 5-8 minutos dándoles la vuelta de vez en cuando para que el pollo quede bien cocinado y tostado. Servir con gajos de lima para exprimir el zumo por encima, y un poco de arroz especiado y ensalada de verduras.

• Cada kebab contiene: 251 kilocalorías, 36 g de proteína, 10 g de hidratos de carbono, 8 g de grasa, 3 g de grasa saturada, 2 g de fibra, 8 g de azúcar, 0,85 g de sal.

Si llueve, se prepara exactamente igual en una cocina. Colocar la bandeja para asar sobre dos hornillos para que el calor sea más uniforme.

Pollo asado con jamón serrano y tomate crujientes

- 2 cucharadas de aceite de oliva
- 85 g de jamón serrano
- 6 pechugas de pollo deshuesadas, sin piel y sazonadas
- 4 dientes de ajo picados
- 800 g de tomate triturado
- 150 ml de caldo de pollo o de vegetales
- 4 ramitas de orégano fresco con las hojas y picadas
- 400 g de alubias blancas escurridas y lavadas
- 100 g de mantequilla reblandecida
- 1 chapata cortada en 12 rebanadas
- 250 g de tomates cherry cortados por la mitad
- un puñado de hojas de albahaca; la mitad picada, la otra entera

50–60 minutos • 6 raciones

1 Calentar el aceite en una bandeja para asar resistente sobre la barbacoa y tostar el jamón hasta que esté crujiente por ambos lados. Apartarlo a continuación.

2 Dorar el pollo por ambos lados en la bandeja. Añadir la mitad del ajo, el tomate triturado, el caldo y el orégano, y revolver. Cocer a fuego lento durante 12 minutos, dándole la vuelta con frecuencia, y añadir las judías a mitad de la cocción. Mientras, mezclar el resto del ajo con la mantequilla, y tostar el pan en la barbacoa.

3 Mezclar los tomates, la albahaca picada y algún condimento con el pollo, y cocinar durante 2 minutos más. Cubrirlo con el jamón y las hojas enteras de albahaca antes de servir con el pan tostado untado con la pasta de mantequilla y ajo.

• Cada ración contiene: 550 kilocalorías, 54,5 g de proteína, 32 g de hidratos de carbono, 23 g de grasa, 11 g de grasa saturada, 5 g de fibra, 0 azúcar añadido, 2,59 g de sal.

Tostar sándwiches en la barbacoa le aporta un gustoso sabor ahumado al pan.

Panini con mozzarella y jamón serrano

4 rebanadas delgadas de chapata cortadas diagonalmente para que sean más largas
4 lonchas de jamón serrano
4 lonchas de queso mozzarella
1 pimiento rojo asado en conserva, cortado por la mitad
8 hojas grandes de albahaca fresca
aceite de oliva para untar

10 minutos • 1 ración (fácilmente doble)

1 Calentar la barbacoa o una plancha a temperatura moderada. Preparar dos sándwiches con el pan relleno con capas de jamón, queso, pimiento y albahaca. Untar la corteza con aceite.

2 Poner los sándwiches en la plancha o en la parrilla de la barbacoa y calentarlos durante 1 minuto aproximadamente por cada lado mientras se presionan fuertemente con una espátula metálica para que se aplasten, se doren y se tuesten. Comerlos mientras aún estén calientes y el queso derretido.

• Cada ración contiene: 622 kilocalorías, 37 g de proteína, 37 g de hidratos de carbono, 36 g de grasa, 13 g de grasa saturada, 4 g de fibra, 0 azúcar añadido, 8 g de sal.

Para preparar a la plancha, calentarla a temperatura media-alta y después asar el pollo durante 20-30 minutos por cada lado, rociándolo con agua o cerveza si se seca mucho.

Pollo semideshuesado a la barbacoa

1 pollo de 1,3 kg semideshuesado (en la carnicería pueden prepararlo)
un poco de agua o de cerveza para rociar
2 limones cortados en cuartos para servir

PARA EL ADOBO
3 cucharadas de aceite de oliva, más un poco para servir
1 cucharadita de pimentón dulce, más un poco para servir
1 diente de ajo machacado
ralladura y zumo de 1 limón

70-80 minutos, más el tiempo de adobo
• 2-4 raciones

1 Para adobar, mezclar el aceite, el pimentón dulce, el ajo, la ralladura de limón y un poco de condimento. Untar la piel del pollo con esta mezcla y dejarlo adobar en la nevera durante 30 minutos.
2 Antes de asarlo en la barbacoa, comprobar que la temperatura sea moderada para que la piel no se queme antes de que el pollo se haya cocinado. Asar durante 40 minutos aproximadamente, dándole la vuelta cada 5-10 minutos y rociándolo ocasionalmente con la cerveza o el agua. Para comprobar si ya está cocinado, pinchar con un cuchillo entre el muslo y la quilla: los jugos deben fluir claros.
3 Retirar del fuego y dejarlo reposar cubierto con papel de aluminio durante 10–15 minutos. Trinchar en raciones, rociar con el zumo de limón, un poco de aceite, unas pizcas de pimentón dulce y sazonar. Servir con los cuartos de limón.

• Cada ración contiene: 650 kilocalorías, 59 g de proteína, 1 g de hidratos de carbono, 45 g de grasa, 14 g de grasa saturada, 1 g de fibra, 0 azúcar añadido, 0,91 g de sal.

Se puede probar con ramitas gruesas y leñosas de romero en lugar de brochetas de madera. Dan buen aspecto y contribuyen a sazonar el cerdo desde dentro.

Kebab de cerdo, limón y patata

16 patatas
700 g de lomo de cerdo
aceite para untar
gajos de limón para servir

PARA EL ADOBO DE LIMÓN
2 cucharadas de hojas de romero fresco picadas o 2 cucharaditas de romero seco
2 cucharadas de aceite de oliva
zumo de ½ limón

35-45 minutos • 4 raciones

1 Cocinar las patatas en agua hirviendo con sal durante 10-12 minutos hasta que estén blandas. Escurrirlas bien. Quitarle el exceso de grasa al cerdo antes de cortarlo en dados de 3 cm. Ensartar el cerdo y las patatas por orden alterno en ocho brochetas.
2 Encender la barbacoa o calentar la parrilla a una temperatura media-alta. Mezclar el romero picado, el aceite de oliva y el zumo de limón para el adobo, y sazonar.
3 Untar el cerdo y las patatas con el adobo. Asar las brochetas a la barbacoa o a la parrilla durante 14 minutos dándoles la vuelta una vez. Untarlas con el aceite a mitad del asado. Servir con los gajos de limón.

• Cada ración contiene: 360 kilocalorías, 39 g de proteína, 17 g de hidratos de carbono, 16 g de grasa, 3 g de grasa saturada, 1 g de fibra, 0 azúcar añadido, 0,55 g de sal.

Para lograr estos sabores aromáticos y picantes, también se puede utilizar carne picada de pavo y de cerdo.

Hamburguesas de pollo especiadas a la tailandesa

500 g de carne de pollo picada
85 g de migas de pan fresco
2-3 cucharadas de pasta de curry tailandés
un manojo de cebollinos muy picados
1 huevo batido
1 cucharada de aceite de oliva
4 panecillos de chapata, salsa agridulce chutney de mango mezclada con la misma cantidad de yogur natural, y ensalada variada para servir

25 minutos, más el tiempo para poner a enfriar • 4 raciones (fácilmente dobles)

1 Poner la carne, las migas, la pasta de curry, los cebollinos y el huevo en un bol. Sazonar ligeramente y mezclar bien con las manos. Dividir la masa en cuatro raciones y darle forma de hamburguesas. Ponerlas a enfriar durante 20 minutos.

2 Untar las hamburguesas con el aceite y asarlas a la barbacoa o a la parrilla a una temperatura media-alta durante 7-10 minutos por cada lado o hasta que se doren bien.

3 Una vez asadas, tostar los panecillos con la corteza hacia abajo en la barbacoa o en la parrilla. Rellenar cada uno con una hamburguesa, añadir algo de ensalada para servir y 1 cucharada llena de la cremosa salsa agridulce chutney de mango.

• Cada hamburguesa contiene: 286 kilocalorías, 34 g de proteína, 18 g de hidratos de carbono, 9 g de grasa, 1 g de grasa saturada, 1 g de fibra, 2 g de azúcar, 1,2 g de sal.

Las costillas se pueden conservar crudas en la nevera hasta un máximo de 3 días o se pueden congelar durante varios meses.

Costilla de cerdo a la brasa con salsa barbacoa

- 2 kg de costillas de cerdo con mucha carne
- un manojo de cebollinos picados muy finos
- 1 chile caribeño sin semilla y muy picado
- 4 dientes de ajo picados muy finos
- 6 cucharadas de ron
- 6 cucharadas de azúcar moreno de grano grueso
- 6 cucharadas de salsa de soja
- 6 cucharadas de miel de abeja clara
- 6 cucharaditas de mostaza de Dijon
- 1 cucharadita de pimienta de Jamaica

30-35 minutos • 6 raciones

1 Poner las costillas en un bol grande (siempre que no sea de metal) con el resto de los ingredientes y salpimentar. Rebozar por completo con la salsa.

2 Sacarlas del bol y guardar la salsa sobrante. Asar las costillas a la barbacoa o a la parrilla a temperatura media-alta durante 20-30 minutos, según su tamaño, mientras se les da la vuelta con frecuencia y se untan con el resto de la salsa en cada vuelta. (Darles vueltas y untarlas es importante para que los cuatro lados de las costillas queden bañados en la salsa.) Si sobra salsa al final, se calienta en una cacerola hasta que hierva y se vierte sobre las costillas en el momento de servir.

• Cada ración contiene: 484 kilocalorías, 33 g de proteína, 32 g de hidratos de carbono, 22 g de grasa, 8 g de grasa saturada, 0 fibra, 28 g de azúcar añadido, 3,09 g de sal.

Toda la familia adorará esta receta, que se puede aumentar fácilmente para servirla a un grupo más numeroso.

Tacos de lima, pimienta y pollo

4 pechugas de pollo deshuesadas y sin piel, cada una cortada en 6 tiras
2 limas para ralladura y zumo
2 cucharaditas de granos de pimienta negra molidos muy finos
1 cucharada de aceite de oliva
8 tortillas mexicanas para tacos
200 g de guacamole, fresco o en conserva
1 lechuga cortada en tiras
150 ml de yogur natural desnatado

15 minutos • 4 raciones

1 Mezclar el pollo con la ralladura y el zumo de lima, la pimienta, el aceite y un poquito de sal. Asarlo a la barbacoa o a la plancha a temperatura media-alta durante 6-8 minutos, dándole vueltas hasta que esté cocinado uniformemente y bien dorado.

2 Calentar las tortillas según las indicaciones del envase. Untar un poquito de guacamole sobre cada tortilla, cubrirlo con la lechuga y el pollo, y rociarlos con el yogur. Enrollar y disfrutar.

• Cada taco contiene: 464 kilocalorías, 43 g de proteína, 50 g de hidratos de carbono, 12 g de grasa, 2 g de grasa saturada, 2 g fibra, 5 g de azúcar, 2,85 g de sal.

Este plato es ideal para recibir invitados al fresco. Se sirve con chapata para aprovechar sus jugos.

Cerdo a la barbacoa con salvia, limón y jamón serrano

100 g de jamón serrano
3 limones
3 cucharadas de hojas de salvia fresca picadas muy fino
350-450 g lomo de cerdo desprovisto de toda grasa
aceite para untar
50 g de mantequilla puesta a enfriar y cortada en trozos finos
ramitas de salvia fresca para la guarnición

40–50 minutos • 8 raciones

1 Pasar por un robot de cocina el jamón, la ralladura de los 3 limones, el zumo de 1½ limón, la salvia picada y bastante condimento hasta que se mezclen y formen una pasta espesa.
2 Cortar cada lomo longitudinalmente hasta el centro, pero no por completo. Abrir la carne y aplanarla. Hacer diez cortes en cada lomo de hasta ¾ de profundidad. Untar la pasta sobre la carne y dentro de los cortes.
3 Untar los lomos con aceite y asarlos a la barbacoa o a la parrilla con el lado untado con la pasta hacia abajo durante 6-8 minutos. Darles la vuelta y asarlos durante otros 6-8 minutos más o hasta que estén bien cocinados.
4 Poner el cerdo en una fuente y cubrirlo con los trozos de mantequilla, que se dejan derretir antes de exprimir por encima el zumo de los limones restantes. Aderezar con la salvia y servir.

• Cada ración contiene: 255 kilocalorías, 32 g de proteína, 1 g de hidratos de carbono, 13,6 g de grasa, 6 g de grasa saturada, 0 fibra, 0 azúcar añadido, 0,62 g de sal.

Las mazorcas de maíz son un gran acompañamiento para el pollo a la barbacoa. Las mazorcas se untan con aceite, pero no se sazonan porque la sal endurece los granos. Se asan durante 5-7 minutos.

Pollo al estilo cajún

4 pechugas de pollo deshuesadas y sin piel
1 cucharadita de hojuelas de cebolla deshidratada
1 cucharada de pimentón dulce
¼ cucharadita de pimienta de Cayena
2 cucharaditas de tomillo seco
1 cucharada de aceite de girasol
200 g de guacamole

25 minutos aproximadamente
• 4 raciones

1 Secar el pollo con papel de cocina y hacer cortes diagonales por el lado liso de las pechugas. Mezclar las hojuelas de cebolla, las especias y el tomillo con algún condimento y ponerlas en un plato.
2 Untar el pollo por ambos lados con el aceite y después con la mezcla de especias. Calentar la barbacoa, la plancha o la parrilla a temperatura media-alta, y asar el pollo durante 5-6 minutos por cada lado hasta que esté bien cocinado. Servir con una cucharada llena de guacamole.

• Cada ración contiene: 190 kilocalorías, 34 g de proteína, 2 g de hidratos de carbono, 5 g de grasa, 1 g de grasa saturada, 0 fibra, 0 azúcar, 0,22 g de sal.

Si se emplean brochetas de madera o de bambú, se remojan ocho en agua fría durante media hora aproximadamente antes de usarlas.

Brochetas de pollo con hierbas aromáticas

500 g de patatas muy pequeñas y nuevas
3 cucharadas de perejil fresco picado
3 cucharadas de menta fresca picada
3 cucharadas de cebolleta fresca troceada
6 cucharadas de aceite de oliva
2 cucharadas de zumo de limón fresco
500 g de pechuga de pollo deshuesada, sin piel y cortada en trozos de 3 cm
1 cebolla roja o morada, pelada y cortada en 6 trozos con las capas separadas
1 pimiento rojo sin semilla y cortado en trozos de 3 cm
1 limón cortado en 8 gajos
1 bote pequeño de salsa de tomate para servir

40–50 minutos • 8 raciones

1 Cocer las patatas en agua hirviendo con sal durante 10-12 minutos hasta que se ablanden. Escurrirlas y enfriar.
2 Mezclar las hierbas aromáticas, el aceite, el zumo de limón y los condimentos en un bol grande. Añadir el pollo, las patatas frescas, la cebolla y el pimiento, y mezclar.
3 Ensartar el pollo y los vegetales en ocho brochetas con un gajo de limón al final. Asarlas a la barbacoa o a la parrilla a una temperatura media-alta durante 5-6 minutos por cada lado hasta que el pollo se cocine. Ponerlas en una fuente para servir con un poco de salsa de tomate a un lado.

• Cada brocheta (sin la salsa) contiene: 149 kilocalorías, 16,7 g de proteína, 12,8 g de hidratos de carbono, 3,8 g de grasa, 0,6 g de grasa saturada, 1,2 g de fibra, 3,1 g de azúcar, 0,12 g de sal.

Un plato ideal para cuando el mal tiempo nos obliga a guarecernos en casa.

Salchichas de cerdo con salsa de tomate abrasada

4 salchichas de cerdo
4 tomates cortados por la mitad
1 chile rojo sin semilla y muy picado
1 diente de ajo muy picado
2 cucharadas de albahaca fresca muy picada
una pizca de azúcar moreno
2 cucharadas de aceite de oliva
1 cucharada de vinagre de vino tinto
4 panecillos para perrito caliente, hojas de verduras y nata agria para servir

25 minutos • 4 raciones

1 Asar las salchichas a la barbacoa o a la plancha durante 10-15 minutos, dándoles la vuelta ocasionalmente hasta que estén bien cocinadas. Mientras, asar los tomates junto a las salchichas con el corte hacia arriba durante 3-4 minutos hasta que la piel se empiece a ennegrecer, y ponerlos en un bol.

2 Aplastar los tomates con un tenedor y mezclar con el resto de los ingredientes. Poner una cucharada en los panecillos, añadir hojas de verduras, una salchicha y cubrirla con una cucharada llena de nata fresca.

• Cada salchicha contiene: 233 kilocalorías, 10 g de proteína, 8 g de hidratos de carbono, 18 g de grasa, 6 g de grasa saturada, 1 g de fibra, 5 g de azúcar, 1,28 g de sal.

Si se prefiere no asar fuera en la barbacoa, se puede calentar el horno a 200 °C, y preparar un asado con muslos de pollo durante 30 minutos hasta que estén bien cocinados.

Pollo con yogur especiado

8 muslos de pollo sin piel
150 g de yogur natural
1 cucharadita de chile en polvo
1 cucharada de comino molido
1 cucharada de cilantro molido
2 cucharaditas de cúrcuma molida

30 minutos • 4 raciones

1 Hacer unos pocos cortes en cada muslo con un cuchillo afilado. Mezclar el resto de los ingredientes en un bol y sazonarlos. Añadir los muslos y frotarles la carne con esta mezcla. Si se dispone de tiempo, taparlos y ponerlos a enfriar durante 30 minutos.
2 Sacar los muslos del adobo y quitarles el exceso. Asarlos a la barbacoa durante 20-25 minutos dándoles la vuelta ocasionalmente hasta que estén bien cocinados.

• Cada ración contiene: 229 kilocalorías, 37 g de proteína, 6 g de hidratos de carbono, 7 g de grasa, 2 g de grasa saturada, 0 fibra, 2 g de azúcar, 0,49 g de sal.

Para estas hamburguesas verdaderamente fáciles de preparar se escoge la ternera picada de la mejor calidad o se puede comprar la pieza en la carnicería y picarla uno mismo.

Hamburguesas clásicas de ternera

500 g de ternera magra picada
1 cucharadita de chile no muy picante en polvo
4 lonchas de queso cheddar (opcional)
4 panecillos para hamburguesa

PARA EL ADEREZO
lechuga, tomate, pepino, pepinillo, cebolla roja o morada y mayonesa o ketchup para servir

20 minutos • 4 raciones

1 Poner la carne picada en un bol y mezclarla con el chile en polvo y algún condimento. Dividir la masa en cuatro raciones para darles forma de hamburguesa.
2 Freír las hamburguesas en una plancha caliente durante 5 minutos por cada lado. Para preparar hamburguesas con queso, se pone una loncha de cheddar sobre la carne después de darle la vuelta para que este se derrita.
3 Preparar los ingredientes para el aderezo al gusto. Separar las hojas de lechuga, y cortar el tomate, el pepino, el pepinillo y la cebolla en rodajas. Cortar los panecillos por la mitad y calentarlos en la tostadora o en la barbacoa. Untarles un poco de mayonesa o de ketchup, y rellenarlos con las hamburguesas y un acompañamiento de verduras al gusto.

• Cada hamburguesa contiene: 496 kilocalorías, 39 g de proteína, 26 g de hidratos de carbono, 27 g de grasa, 12 g de grasa saturada, 1 g de fibra, 2 g de azúcar, 1,53 g de sal.

Los vegetales aliñados son un buen acompañamiento en verano porque no se mustian y se pueden preparar con antelación.

Cordero tostado con guisantes, menta y feta

4 bistecs de pierna de cordero
300 g de guisantes congelados
3 cucharadas de aceite de oliva
ralladura y zumo de 1 limón
100 g de queso feta desmenuzado
un puñado pequeño de hojas de menta fresca picadas muy finas
2 cebollinos muy picados

15 minutos • 4 raciones

1 Sazonar el cordero y asarlo a la barbacoa o a la plancha durante 3-4 minutos por cada lado o hasta que esté cocinado al gusto.
2 Mientras, cocer los guisantes en una cacerola grande con agua hirviendo con sal durante 2 minutos hasta que estén blandos. Escurrirlos y ponerlos aún calientes en un bol, y mezclarlos con el aceite de oliva y la ralladura y el zumo de limón. Removerlos con el queso, la menta y el cebollino, y sazonarlos al gusto. Servir la ensalada de guisantes calientes con los bistecs de cordero.

• Cada ración contiene: 435 kilocalorías, 45 g de proteína, 8 g de hidratos de carbono, 25 g de grasa, 10 g de grasa saturada, 4 g de fibra, 3 g de azúcar, 1,14 g de sal.

El adobe de naranjas y vino dan un toque de frescor mediterráneo a esta receta.

Ternera con naranja y chile

1 pieza de 1,5 kg de falda de ternera
ralladura de 2 naranjas
2 chiles rojos sin semilla muy picados
2 chalotes muy picados
2 cucharadas de aceite de oliva
1 cucharada de vinagre de vino tinto

35 minutos, más el tiempo de adobo
• 8 raciones

1 Secar la carne y ponerla en una bolsa grande para alimentos. Mezclar el resto de los ingredientes y verterlos dentro de la bolsa sobre la carne. Amasarla con el adobo y ponerla en un plato en la nevera un mínimo de 2 horas o, si se dispone de tiempo, durante toda la noche.
2 Encender la barbacoa y dar tiempo para que el carbón se ponga gris ceniza. Salpimentar la carne y asarla durante 8-10 minutos por cada lado hasta que se dore bien. Bañarla con cucharadas de adobo mientras se cocina.
3 Retirarla de la barbacoa y ponerla sobre una tabla de picar. Envolverla bien apretada con papel de aluminio y dejarla reposar durante 10 minutos antes de cortarla en tajadas a través de la fibra.

• Cada ración contiene: 360 kilocalorías, 47 g de proteína, 0 hidratos de carbono, 19 g de grasa, 7 g de grasa saturada, 0 fibra, 0 azúcar, 0,34 g de sal.

El sabor de estas brochetas fáciles de preparar varía con distintas salsas.

Brochetas orientales de ternera con ensalada de pepino

4 filetes delgados de solomillo, o minifiletes, desprovistos de grasa y cortados en 3 tiras
120 ml de aceite de oliva
1 cucharada de semilla de sésamo

PARA LA ENSALADA
1 cucharadita de vinagre de vino blanco
1 cucharadita de salsa de soja
1 pepino sin semilla y cortado en trozos pequeños
3 cebollinos picados
½ chile rojo sin semilla y muy picado
un puñado de hojas de cilantro fresco picadas
arroz basmati o arroz jazmín al vapor para servir

15 minutos • 4 raciones

1 Calentar la barbacoa o la parrilla a temperatura alta. Mezclar las tiras de carne con el aceite y el sésamo en un bol. Insertarlas en doce brochetas y asarlas a la barbacoa o a la parrilla durante 6 minutos dándoles la vuelta a mitad del proceso hasta que se doren y la salsa se espese.
2 Mientras, preparar la ensalada. Mezclar el vinagre y la salsa de soja con el pepino, el cebollino, el chile y el cilantro. Servir con las brochetas y un poco de arroz basmati o jazmín.

• Cada ración contiene: 228 kilocalorías, 32 g de proteína, 8 g de hidratos de carbono, 8 g de grasa, 3 g de grasa saturada, 1 g de fibra, 8 g de azúcar, 2,21 g de sal.

Se puede preparar la receta completa y congelar las hamburguesas que sobren hasta un máximo de 3 meses.

Pan de pita con kafta

1 kg de carne picada (kafta) de cordero
2 cebollas ralladas grueso
1 cabeza de ajo separada en dientes y machacada
6 cucharadas de mezcla de especias garam masala
un manojo de cilantro fresco picado
1 cucharada de salsa picante, más un poco para servir

GUARNICIÓN
8 panes de pita
4 tomates cortados por la mitad y en rodajas
½ col lombarda cortada en tiras
1 cebolla roja o morada cortada en rodajas
1 yogur natural

35 minutos • 8 raciones (fácilmente dobles)

1 Poner la carne picada en un bol grande con el resto de los ingredientes y un poco de sal. Mezclarlo todo con las manos. Preparar 16 hamburguesas pequeñas con la masa y ponerlas a enfriar hasta el momento de asarlas.
2 Calentar la barbacoa o la parrilla hasta que estén muy calientes, y asar las hamburguesas durante 5-6 minutos por cada lado hasta que estén ligeramente tostadas y cocinadas. Si se asan a la parrilla, habrá que hacerlo por tandas. Para servirlas, poner las hamburguesas en un plato con todo el acompañamiento para que cada cual prepare la suya.

• Cada hamburguesa contiene: 295 kilocalorías, 26 g de proteína, 8 g de hidratos de carbono, 18 g de grasa, 8 g de grasa saturada, 1 g de fibra, 2 g de azúcar, 0,37 g de sal.

Un placer para dos. Perfecto para una noche de verano y acompañado con un vaso de vino tinto.

Bistecs y vegetales asados con aliño de tomate seco

2 boniatos medianos pelados y troceados
2 pimientos rojos sin semilla troceados
2 cucharadas de aceite de oliva
200 g de habichuelas finas
2 dientes de ajo muy picados
4 tomates secos muy picados
un chorrito de zumo de limón
2 bistecs de solomillo de 175 g aproximadamente cada uno

40 minutos • 2 raciones

1 Precalentar el horno a 200 °C. Poner los boniatos y los pimientos en la bandeja para asar, rociarlos con 1 cucharada de aceite y asarlos durante 20 minutos o hasta que los bordes se tuesten. Añadir las habichuelas y el ajo, revolverlos y asarlos durante 10 minutos más.
2 Mientras, mezclar el tomate, el zumo de limón y ½ cucharada de aceite de oliva con un poco de pimienta para preparar el aderezo.
3 Sazonar bien los bistecs, untarlos con el resto del aceite y asarlos en la barbacoa caliente durante un par de minutos por cada lado para que queden entre poco hechos y al punto, o durante más tiempo al gusto. Servirlos con los vegetales asados y bañados con un poco de aderezo.

• Cada ración contiene: 613 kilocalorías, 38,4 g de proteína, 53,5 g de hidratos de carbono, 28,7 g de grasa, 8,8 g de grasa saturada, 9,7 g de fibra, 21,8 g de azúcar, 1,34 g de sal.

Un riquísimo plato con cordero, inspirado en algunos ingredientes griegos clásicos y que añade un poco más de sol a un día veraniego.

Cordero a la barbacoa con humus

1 cebolla roja o morada cortada por la mitad y muy picada
3 cucharadas de aceite de oliva
un chorrito de zumo de limón fresco
2 calabacines cortados en rodajas gruesas
8 chuletas de cordero
800 g de garbanzos
50 g de queso feta
un puñado de hojas de menta fresca muy picadas para servir

40 minutos • 4 raciones

1 Calentar la barbacoa y la parrilla a temperatura alta. Dejar en adobo la cebolla, 1 cucharada de aceite de oliva y el zumo de limón en un bol.
2 Poner las rodajas de calabacín en un papel de horno, untar con ½ cucharada de aceite, sazonar y asar a la parrilla 6–8 minutos. Sazonar el cordero y untarlo con otra ½ cucharada de aceite. Asarlo hasta que esté cocinado, pero rosado en el centro.
3 Colar los garbanzos y hervirlos, después pasarlos por un robot de cocina con el resto del aceite y la mitad del queso. Añadir cucharadas de agua para licuarlos, sazonarlos, y servir con el cordero, el calabacín y la cebolla con la menta y el resto del queso por encima.

• Cada ración contiene: 633 kilocalorías, 44 g de proteína, 23 g de hidratos de carbono, 41 g de grasa, 16 g de grasa saturada, 6 g de fibra, 3 g de azúcar, 1,38 g de sal.

El yogur natural se condimenta con hierbas aromáticas y especias. La mitad se puede emplear como adobo, mientras el resto se rocía sobre el plato antes de servirlo.

Kebab de cordero con menta

150 ml de yogur natural
1½ cucharada de salsa de menta
1 cucharadita de comino molido
300 g de cordero magro cortado en dados
½ cebolla pequeña cortada en trozos grandes
2 panes de pita grandes
dos puñados grandes de lechuga picada

20 minutos • 2 raciones

1 Mezclar el yogur y la salsa de menta, y dividir la mezcla en dos partes iguales. Añadir el comino a de estas partes y verterla sobre los dados de cordero. Mezclarlos para cubrirlos, y sazonar.

2 Calentar la barbacoa o la parrilla mientras se ensarta el cordero en 4 brochetas por orden alterno con los trozos de cebolla. Asar después durante 3-4 minutos por cada lado hasta que el cordero se cocine y la cebolla empiece a dorarse. Calentar el pan de pita en una tostadora durante 1-2 minutos y abrirlo. Rellenar los panes con el cordero, la cebolla y la lechuga, rociándolos con el resto del yogur con menta antes de servir.

• Cada pan de pita relleno contiene: 538 kilocalorías, 43 g de proteína, 62 g de hidratos de carbono, 15 g de grasa, 7 g de grasa saturada, 3 g de fibra, 11 g de azúcar, 1,68 g de sal.

No hay nada mejor que un sándwich de bistec y, en esta receta, la cebolla caramelizada es la combinación ganadora.

Sándwich de bistec con cebolla caramelizada

4 minibistecs, o 2 bistecs, de solomillo de 1 cm de grosor
1 cucharada de aceite de oliva, más un poco para rociar
1 panecillo chapata
4 cucharadas de cebolla caramelizada o de mermelada de cebolla
dos puñados de berros

10-15 minutos • 2 raciones abundantes

1 Precalentar la barbacoa o la parrilla a temperatura media-alta. Salar la carne por ambos lados, untarle un poco de aceite y asarla, dándole la vuelta, en el punto más caliente de la barbacoa o de la parrilla durante un par de minutos. Mientras, abrir longitudinalmente el panecillo por la mitad y tostar la parte del corte en la barbacoa o en la parrilla.

2 Rociar el panecillo caliente con un poco más de aceite de oliva, extenderle la cebolla o la mermelada sobre su parte inferior y colocarle los bistecs encima. Cubrir los bistecs con los berros y tapar con la otra mitad del panecillo. Cortar por la mitad y consumir enseguida.

• Cada sándwich contiene: 525 kilocalorías, 52 g de proteína, 33 g de hidratos de carbono, 21 g de grasa, 5 g de grasa saturada, 2 g de fibra, 2 g de azúcar añadido, 1,85 g de sal.

Si se duplica la cantidad de berenjena, esta se puede emplear para rellenar panes de pita con humus para la comida del día siguiente.

Chuletas de cordero con ensalada de berenjena ahumada

1 berenjena cortada longitudinalmente en rodajas finas
3 cucharadas de aceite de oliva
4 costillas o chuletas de cordero desprovistas de grasa
1 chorrito de zumo de limón fresco
una pizca de pimentón dulce
2 cucharaditas de eneldo fresco picado
1 cucharada de piñone tostados
ensalada y pan de pita para servir

20 minutos • 2 raciones

1 Calentar la barbacoa o la plancha a temperatura alta. Untar las rodajas de berenjena con el aceite. Sazonarlas y asarlas a la barbacoa o la plancha hasta que se doren y se ablanden por ambos lados. Retirarlas del calor y después cortarlas en trozos pequeños.
2 Asar las chuletas a la barbacoa o a la plancha durante 4 minutos por cada lado hasta que adquieran un color encarnado.
3 Para preparar el aliño, mezclar en un bol el zumo de limón, el pimentón dulce, la mitad del eneldo y algún condimento. Rociar la berenjena con el aliño y mezclar.
4 Dividir en dos platos, poner las chuletas encima, y después esparcir los piñones y el resto del eneldo. Servir con ensalada y pan de pita.

• Cada ración contiene: 424 kilocalorías, 27 g de proteína, 4 g de hidratos de carbono, 33 g de grasa, 9 g de grasa saturada, 4 g de fibra, 4 g de azúcar, 0,19 g de sal.

Los bistecs de pierna de cordero magra a la barbacoa tienen un gusto ahumado que casa muy bien con una ensalada dulce de remolacha.

Bistecs de cordero a la brasa con ensalada tibia de remolacha

4 bistecs de pierna de cordero de 140 g aproximadamente cada uno
4 cucharadas de aceite de oliva
1 cebolla roja o morada grande muy picada
250 g de remolacha cocida, escurrida y cortada en trozos pequeños
400 g de garbanzos escurridos y lavados
50 g de rúcula o de berros
un puñado de menta fresca u hojas de cilantro picadas muy finas

20 minutos • 4 raciones

1 Añadir a los bistecs 2 cucharadas de aceite. Sazonarlos con pimienta negra.
2 Calentar el resto del aceite en una sartén y sofreír la cebolla a fuego lento 5 minutos. Añadir los trozos de remolacha y revolverlos en el sartén, reducir la temperatura, darles la vuelta y añadir los garbanzos, sin revolver. Mantenerlos calientes.
3 Calentar la barbacoa o un sartén de fondo grueso. Cocinar los bistecs a temperatura muy alta hasta que estén al gusto.
4 Repartir las hojas de ensalada en cuatro platos, cubrirlas con la ensalada tibia de remolacha y aliñarlas con la menta o el cilantro. Poner encima la carne y esparcirles el resto de las hierbas aromáticas.

• Cada ración contiene: 371 kilocalorías, 32 g de proteína, 17 g de hidratos de carbono, 20 g de grasa, 7 g de grasa saturada, 4 g de fibra, 0 azúcar añadido, 0,68 g de sal.

En Nueva Zelanda y Australia se suele añadir remolacha a las hamburguesas.

Hamburguesas con remolacha

500 g de ternera magra picada
100 g de remolacha cocida, pero no conservada en vinagre
2 minipanes naan de ajo y cilantro
50 g de rúcula
4 cucharadas de nata montada
ensalada de verduras y patatas fritas a la inglesa para servir

25 minutos • 4 raciones (fácilmente dobles)

1 Poner la carne picada en un bol, y salpimentarla con 1 cucharadita de sal y una cantidad generosa de pimienta negra recién molida. Amasar la carne con las manos mojadas para impregnarla con esta mezcla y formar después cuatro hamburguesas. Cortar la remolacha en rodajas y el pan por la mitad.

2 Calentar la plancha o la barbacoa. Tostar los panes por ambos lados y reservar. Asar las hamburguesas a la plancha o a la barbacoa al gusto.

3 Poner una tostada en cada plato y cubrirla con un poco de rúcula y una hamburguesa. Añadirle una cucharada llena de nata montada y servir inmediatamente con una ración generosa de ensalada de verduras y patatas fritas a la inglesa.

• Cada hamburguesa contiene: 352 kilocalorías, 33,7 g de proteína, 30 g de hidratos de carbono, 11,4 g de grasa, 5,3 g de grasa saturada, 1,9 g de fibra, 0,6 g de azúcar añadido, 1,25 g de sal.

Se puede mejorar un sencillo bistec a la barbacoa gracias a un sabroso adobo.

Bistecs con setas

25 g de setas secas
1 ramita de hojas de tomillo fresco
2 bistecs gruesos de solomillo
1 cucharada de aceite de oliva
patatas asadas y ensalada para servir

20 minutos, más el adobo durante toda una noche • 2 raciones (fácilmente dobles)

1 Picar las setas en un robot de cocina o en un molinillo de café hasta que se forme un polvo fino. Mezclarlo con una buena pizca de sal, pimienta y las hojas de tomillo. Untar este adobo sobre toda la superficie de cada bistec, ponerlos después en un plato o en una bolsa de cocina con sellador y enfriarlos durante la noche.

2 Eliminar cualquier exceso de adobo y calentar la barbacoa o la plancha hasta que humee. Untar un poco de aceite de oliva sobre cada bistec y asarlos a la barbacoa o a la plancha durante 3 minutos, darles la vuelta y asarlos durante otros 2 minutos hasta que estén al punto o poco hechos. Servirlos con una patata asada y ensalada.

• Cada ración contiene: 428 kilocalorías, 47 g de proteína, 1 g de hidratos de carbono, 26 g de grasa, 10 g de grasa saturada, 2 g de fibra, 0 azúcar, 0,29 g de sal.

Esta salsa picante rápida y fácil de preparar es también sensacional con atún o sobre una hamburguesa de ternera.

Cordero a la brasa con salsa picante mexicana

250 g de tomate en rama maduro
1 cebolla roja o morada pequeña muy picada
1 chile rojo sin semillas y muy picado
2 cucharadas de cilantro fresco picado
4 bistecs de pierna de cordero
un poco de aceite de oliva para asar
patatas nuevas y una ensalada crujiente para servir

20 minutos • 4 raciones

1 Cortar los tomates por la mitad, exprimirlos, extraerles las semillas —puede parecer un despilfarro, pero realmente aumenta el sabor de la salsa—, y picar. Mezclar en un bol el tomate, la cebolla, el chile, el cilantro, y un poco de sal y pimienta. Si se prepara con antelación, se pone a enfriar, y se sirve después a temperatura ambiente.

2 Sazonar los bistecs por ambos lados y untarlos con un poco de aceite de oliva. Asarlos en la barbacoa, o en la plancha, caliente durante 3-4 minutos por cada lado hasta que estén al punto o durante un poco más de tiempo, si se prefiere el cordero muy hecho. Servir cada bistec con una cucharada llena de salsa picante, patatas nuevas y abundante ensalada crujiente.

• Cada ración contiene: 306 kilocalorías, 36 g de proteína, 3 g de hidratos de carbono, 17 g de grasa, 8 g de grasa saturada, 1 g de fibra, 0 azúcar añadido, 0,24 g de sal.

La ternera aligerada con cuscús hace que estas hamburguesas sean más bajas en grasa que la mayoría.

Hamburguesas de ternera condimentadas con hierbas aromáticas y cuscús

50 g de cuscús
500 g de ternera picada
1 cebolla pequeña muy picada
2 cucharaditas de hierbas aromáticas mezcladas
3 cucharadas de cebolleta fresca troceada
¼ de cucharadita de chile picante en polvo
6 rebanadas de baguete
6 cucharaditas de mostaza de Dijon
175 g de pimiento asado en conserva cortado en trozos grandes
un par de puñados de rúcula

25-35 minutos • 6 raciones

1 Poner el cuscús en un bol, rociarlo con 5 ml de agua hirviendo y dejarlo reposar durante unos cuantos minutos hasta que absorba el líquido. Añadirle después y revolverle la carne, la cebolla, la mezcla de hierbas aromáticas, la cebolleta, el chile en polvo y algo de condimento. Formar seis hamburguesas ovaladas, taparlas y enfriarlas hasta que estén listas para asar.
2 Calentar la barbacoa o la parrilla a una temperatura media-alta y asar las hamburguesas al gusto.
3 Pasar por la parrilla o tostar ligeramente las rebanadas de pan y untarles la mostaza. Cubrir cada una con un trozo de pimiento y un poco de rúcula, añadirle una hamburguesa y servir.

• Cada hamburguesa contiene: 260 kilocalorías, 23 g de proteína, 30 g de hidratos de carbono, 6 g de grasa, 2 g de grasa saturada, 2 g de fibra, 0 azúcar añadido, 1,1 g de sal.

La pierna de cordero aporta a esta receta un sabor realmente fantástico.

Brochetas de cordero

8 ramitas largas, o 12-16 más cortas, de romero
3 dientes de ajo machacados
3 cucharadas de aceite de oliva virgen extra, más un poco para rociar
20 lonchas de panceta cortadas por la mitad
40 hojas de salvia fresca
1 pierna grande de cordero (2,25 kg aproximadamente) deshuesada, desprovista de grasa y cortada en dados de 3 cm

PARA SERVIR
8 rebanadas de pan
1 diente de ajo pelado
gajos de limón

30-40 minutos, más el tiempo de adobo • 8 raciones

1 Deshojar las ramitas de romero. Dejar algunas hojas en las puntas. Preparar una pasta con mano y mortero con el resto de las hojas, el ajo, el aceite de oliva y un poco de condimento.
2 Ensartar una loncha doblada de panceta en cada ramita de romero, seguida de una hoja de salvia y un dado de cordero. Repetir el proceso cuatro veces y terminar con otra loncha y una hoja de salvia. Untar la pasta en las brochetas y dejarlas adobar 30 minutos.
3 Asar las brochetas a la barbacoa o en una plancha grande a temperatura media 10-15 minutos hasta que la carne esté al punto o poco hecha. Tostar el pan al final, frotar con el diente de ajo entero y rociar con un poco de aceite de oliva. Exprimir zumo de limón sobre el cordero antes de servir.

• Cada brocheta (grande) contiene: 407 kilocalorías, 49 g de proteína, 1 g de hidratos de carbono, 30 g de grasa, 12 g de grasa saturada, 0 fibra, 0 azúcar, 1,87 g de sal.

Si el tiempo no es propicio, prepare esta receta en la placa de la cocina. Pueden hacer falta dos juegos si se emplea una cacerola grande o una bandeja de pastelería.

Sardinas con garbanzos, limón y perejil

10 sardinas escamadas y limpias (8 si son grandes)
50 g de harina pura condimentada
2 limones para ralladura
un manojo grande de perejil con las hojas picadas muy finas
3 dientes de ajo muy picados
3 cucharadas de aceite de oliva
1 vaso pequeño de vino blanco
800 g de garbanzos, escurridos y lavados
250 g de tomates cherry cortados por la mitad
pan crujiente para servir

20 minutos • 6 raciones

1 Enharinar las sardinas. Mezclar la ralladura de limón, el perejil y la mitad del ajo, y reservar.
2 Calentar el aceite en un recipiente grande. Añadir las sardinas en una sola capa y, dorarlas. Sacarlas y ponerlas en un plato.
3 Sofreír el resto del ajo durante 1 minuto hasta que se ablande. Añadir el vino, raspar cualquier residuo en el fondo de la cacerola con una cuchara de madera y dejarlo hervir durante 1 minuto o hasta que se reduzca a la mitad.
4 Mezclar los garbanzos y los tomates hasta que se calienten bien. Sazonarlos, volver a añadir las sardinas a la cacerola y esparcirles la mezcla de perejil por encima. Servir con bastante pan crujiente para mojar en la salsa.

• Cada ración contiene: 330 kilocalorías, 24 g de proteína, 22 g de hidratos de carbono, 16 g de grasa, 2 g de grasa saturada, 4 g de fibra, 3 g de azúcar, 0,72 g de sal.

Se puede probar esta receta para una comida o una cena ligeras dentro o fuera de la casa.

Tostadas con caballa especiada

250 g de remolacha no conservada en vinagre y cortada en dados
1 manzana de mesa cortada en trozos y después en láminas
1 cebolla roja o morada pequeña cortada en rodajas finas
zumo de ½ limón
1 cucharada de aceite de oliva, más un poco para rociar
1 cucharadita de comino en grano
cilantro fresco picado muy fino
4 rebanadas de pan ácimo o chapata

PARA EL PESCADO
1 cucharadita de curry no muy picante en polvo
4 filetes de caballa cortados a lo ancho por la mitad
aceite de oliva para rociar

15 minutos • 4 raciones

1 Para preparar la salsa, mezclar la remolacha, la manzana, la cebolla, el zumo de limón, el aceite, el comino y el cilantro, y reservar.
2 Calentar la barbacoa o la parrilla a temperatura alta. Untar el pescado con curry en polvo y algo de condimento, y rociarlo con aceite. Asarlo a la barbacoa con la piel hacia abajo, o a la parrilla con la piel hacia arriba, durante 4-5 minutos hasta que la piel esté crujiente y los filetes cocinados. No es necesario darles la vuelta.
3 Tostar el pan y después rociarlo con un poco de aceite de oliva. Cubrirlo con la salsa y la caballa, y consumir inmediatamente.

• Cada ración contiene: 471 kilocalorías, 25 g de proteína, 35 g de hidratos de carbono, 27 g de grasa, 5 g de grasa saturada, 3 g de fibra, 11 g de azúcar, 0,97 g de sal.

El atún es una buena fuente de omega 3 y casa muy bien con estas verduras dulces y condimentadas.

Atún con tomates y patatas especiados

- 4 filetes de atún
- 1 cucharada de aceite de oliva
- 3 dientes de ajo machacados
- unas cuantas ramitas de tomillo fresco
- 500 g de patatas nuevas cortadas en rodajas de 1 cm grosor
- 2 pimientos rojos sin semilla y cortados en trozos grandes
- 1 cebolla roja o morada cortada en 8 trozos
- 1 chile verde sin semilla y picado
- 400 g de tomates cherry

35 minutos • 4 raciones

1 Poner una bandeja para asar en el horno y precalentarlo a 220 °C. Poner el atún en un plato con la mitad de aceite, 2/3 del ajo y las hojas de una ramita de tomillo. Dejarlo marinar.

2 Poner las patatas, pimientos, cebolla y chile con el resto del aceite en la bandeja para asar, mezclar para que se cubran y asar al horno 20 minutos hasta que las patatas estén blandas. Añadir el resto del ajo con las ramitas de tomillo y dejar crepitar. Añadir y remover los tomates, y asarlos 5 minutos más hasta que la salsa se reduzca. Sazonar.

3 Eliminar la mayor parte de la marinada del pescado con papel de cocina, sazonar y después dorar rápidamente a temperatura muy alta a la barbacoa o a la plancha durante 1 minuto por cada lado para que estén al punto. Servir encima de las verduras.

• Cada ración contiene: 371 kilocalorías, 40 g de proteína, 31 g de hidratos de carbono, 11 g de grasa, 2 g de grasa saturada, 4 g de fibra, 11 g de azúcar, 0,48 g de sal.

Este pescado especiado al estilo hindú se sirve con una ensalada de verduras, un poco de arroz al vapor y una cucharada de salsa agridulce chatni de mango o de refrescante salsa raita.

Pescado marinado al estilo tikka

2 palometas o 2 pargos rojos o meros enteros (o 6 filetes de pescado de carne firme como el atún) de 900 g aproximadamente cada uno
2 cucharadas de raíz de jengibre fresco rallado fino
4 dientes de ajo machacados
6 cucharadas de yogur natural
2 cucharadas de aceite de oliva
2 cucharaditas de cúrcuma
2 cucharaditas de chile no muy picante en polvo
3 cucharaditas de comino en grano
ensalada de hojas de verduras, arroz hervido sin ingredientes y salsa agridulce chatni de mango o salsa raita para servir

25 minutos • 6 raciones

1 Si se prepara el pescado entero, hacer unos cortes en la piel por cada lado con un cuchillo afilado. Mezclar el jengibre y el ajo, y sazonarlos con sal. Después untar esta mezcla sobre el pescado o los filetes.
2 Mezclar el yogur con el aceite, las especias y algo de condimento. Se emplea para untar el pescado por dentro y por fuera antes de ponerlo a enfriar hasta que esté listo para asar.
3 Calentar la barbacoa o la parrilla a temperatura media y asarlo directamente sobre la rejilla —o envuelto en papel de aluminio, si se teme que se pueda pegar— durante 6-8 minutos por cada lado del pescado entero, o 3-4 minutos en el caso de los filetes. Servir con arroz, salsa agridulce chatni o salsa raita.

• Cada ración contiene: 266 kilocalorías, 39 g de proteína, 4 g de hidratos de carbono, 11 g de grasa, 2 g de grasa saturada, 0 fibra, 1 g de azúcar, 0,67 g de sal.

Con un contenido bajo de grasa, esta salsa también resulta apropiada para servir con atún o gambas, e incluso con costillas de cerdo a la barbacoa.

Emperador a la brasa con salsa de mango

1 cucharada de aceite de oliva
2 filetes de emperador de 100 g aproximadamente cada uno (obtenerlo de fuentes sostenibles)
ensalada de hojas de verduras para servir

PARA LA SALSA DE MANGO
½ mango maduro, pelado y troceado
2 cebollinos cortados en rodajas finas
1 chile rojo sin semilla y muy picado
ralladura y zumo de ½ lima
un puñado de cilantro con las hojas picadas

15 minutos • 2 raciones (fácilmente dobles)

1 Untar todo el pescado con el aceite y sazonarlo. Calentar la barbacoa o la plancha a una temperatura media-alta y asarlo durante 3 minutos, darle la vuelta a continuación y asarlo otros 3 minutos por el otro lado hasta que se tueste y esté hecho.
2 Para preparar la salsa, mezclar el mango, los cebollinos, el chile, la ralladura y el zumo de lima, y el cilantro. Servirla con el pescado a la brasa y ensalada de verduras.

• Cada ración contiene: 208 kilocalorías, 19 g de proteína, 12 g de hidratos de carbono, 10 g de grasa, 2 g de grasa saturada, 2 g de fibra, 12 g de azúcar, 0,34 g de sal.

La preparación de las gambas con su caparazón influye mucho en el sabor, pero pelarlas ensucia las manos, por lo que se han de servir acompañadas también con un aguamanil.

Gambas con chile piri-piri

- 4 cucharadas de aceite de oliva
- 4 dientes de ajo machacados
- 2 chiles piri-piri rojos sin semilla muy picados
- ¼ cucharadita de sal
- ½ cucharadita de pimentón dulce
- 18 gambas grandes crudas y con caparazón
- salsa agridulce chutney de menta o salsa y rodajas de lima para servir

15 minutos • 6 raciones como entrante

1 Mezclar el aceite con el ajo, el chile, la sal y el pimentón. Después añadir las gambas y remover. Marinarlas en la nevera hasta un día como máximo.

2 Calentar la barbacoa o la parrilla a una temperatura media-alta. Asar las gambas individualmente o ensartar 3 en 6 brochetas para distribuir las raciones. Asarlas solo durante unos minutos por cada lado hasta que adquieran un tono rosado. Servirlas con salsa agridulce chutney de menta o salsa. Poner aguamaniles con agua tibia y rodajas de lima, servilletas y un bol para los caparazones en la mesa.

• Cada ración contiene: 134 kilocalorías, 15 g de proteína, 1 g de hidratos de carbono, 8 g de grasa, 1 g de grasa saturada, 0 fibra, 0 azúcar, 0,63 g de sal.

Si se duplica la receta, se puede emplear el resto del salmón para rellenar panes de pita, con tiras de lechuga, judías y chile.

Kebab de salmón a la tailandesa con salsa de chile dulce y lima

4 cucharadas de salsa de chile dulce
zumo de 1 lima
140 g de salmón sin piel
 y cortado en trozos grandes
aceite para rociar

30 minutos • 4 raciones

1 Mezclar la salsa de chile con el zumo de lima en un bol. Verter la mitad de esta mezcla en otro bol para servir, y apartar. Ensartar los trozos de salmón en 4 brochetas, y untarles el resto de la salsa de chile y lima. Marinar durante 20 minutos.
2 Calentar la barbacoa o la plancha hasta que esté muy caliente. Quitar el resto de la marinada del kebab, y rociarlo con aceite y sazonar. Asar durante 8 minutos. Dar la vuelta hasta que el color del salmón se torne más oscuro y se desmenuce con facilidad. Servir caliente con la salsa de chile dulce y lima.

• Cada ración contiene: 291 kilocalorías, 29 g de proteína, 3 g de hidratos de carbono, 19 g de grasa, 4 g de grasa saturada, 1 g de fibra, 2 g de azúcar añadido, 1,16 g de sal.

Dejar que el calor de la barbacoa se vaya extinguiendo permite que la piel del pescado no se queme antes de estar cocinado.

Caballa a la barbacoa con jengibre, chile y lima

4 caballas pequeñas enteras y limpias
1 cucharada de aceite de oliva virgen extra para untar

PARA EL ADEREZO
2 cucharadas de aceite de oliva virgen extra
1 chile rojo grande sin semilla y muy picado
1 diente de ajo pequeño machacado
un trocito de raíz de jengibre fresco pelado y muy picado
2 cucharaditas de miel de abeja clara
ralladura y zumo de 2 limas grandes
1 cucharada de aceite de sésamo
1 cucharadita de salsa de pescado tailandesa
un puñado pequeño de hojas de cilantro fresco picadas

25 minutos • 4 raciones

1 Para la salsa, batir 2 cucharadas de aceite de oliva con el resto de los ingredientes. Ajustar el equilibrio entre la lima y la miel para obtener un sabor dulzón intenso. Sazonar.
2 Hacer unos 6 cortes en cada lado de la caballa, pero sin llegar al espinazo, y untarla con 1 cucharada de aceite antes de sazonarla ligeramente. Asarla a la barbacoa o a la parrilla a una temperatura media-alta durante 5-6 minutos por cada lado hasta que se tueste y los ojos se hayan cocido hasta ponerse blancos. Bañar el pescado a cucharadas y dejarlo reposar durante 2-3 minutos antes de servir.

• Cada ración contiene: 406 kilocalorías, 29 g de proteína, 3 g de hidrato de carbono, 31 g de grasa, 6 g de grasa saturada, 0 fibra, 2 g de azúcar añadido, 0,49 g de sal.

Si se prefiere preparar esta receta en la placa de la cocina, el calamar y el chorizo se asan juntos.

Ensalada de calamares, garbanzos y chorizo

4 pimientos rojos
800 g de garbanzos escurridos
y lavados
un manojo bien grande de perejil picado
muy fino
1 chile rojo sin semilla y picado
2 dientes de ajo muy picados
600 g de calamar limpio
100 ml de aceite de oliva
200 g de chorizo cortado en trozos
del tamaño de un garbanzo
ralladura y zumo de 1 limón grande

1 hora • 6-8 raciones con los demás platos

1 Asar los pimientos enteros en la parrilla o en la barbacoa. Ponerlos en un bol y cubrirlos con un plato hasta que se puedan pelar, extraer las semillas y cortarlos en tiras finas. Mezclarlos, junto con cualquier jugo, con el garbanzo, el perejil, el chile y el ajo.
2 Encender la barbacoa. Secar el calamar, rociarlo con un poco de aceite y asarlo hasta que esté cocinado. Mientras, rehogar el chorizo 2 minutos en un sartén caliente.
3 Cortar el calamar caliente en anillos, y mezclar con el pimiento y el chorizo. Sazonar y aderezar con el resto del aceite, y el zumo y la monda de limón. Mezclar y servir en una fuente.

• Cada ración (para 6 personas) contiene: 443 kilocalorías, 29 g de proteína, 22 g de hidratos de carbono, 27 g de grasa, 5 g de grasa saturada, 5 g de fibra, 8 g de azúcar, 1,23 g de sal.

Todo lo que estos tacos necesitan es una ración de patatas fritas aromatizadas con pimentón dulce. Es una combinación perfecta para una cena relajada con los amigos.

Tacos de atún especiado

1 cucharada de aceite de oliva
2 filetes grandes de atún
una pizca de pimienta de Cayena
1 cucharadita de comino molido
4 tortillas mexicanas finas
1 aguacate cortado en rodajas
2 tomates cortados en rodajas
zumo de 1 lima
un puñado de hojas de cilantro fresco picadas
nata con unas gotitas de limón, para servir

15 minutos • 4 raciones

1 Untar cada filete con aceite y después espolvorearlo con las especias. Asarlos a la barbacoa o a la plancha a temperatura media-alta por un lado durante 2 minutos, darles la vuelta y asarlos durante 1-2 minutos más. Cortarlos en tiras.

2 Calentar las tortillas según las instrucciones del envase. Cubrirlas con atún, aguacate y tomate, zumo de lima y cilantro. Rematarlas con cucharadas de nata; si se prefiere, enrollar las tortillas antes de consumirlas.

• Cada taco contiene: 370 kilocalorías, 27 g de proteína, 36 g de hidratos de carbono, 15 g de grasa, 2 g de grasa saturada, 3 g de fibra, 2 g de azúcar, 0,54 g de sal.

Las tiras de salmón y de calabacín se pueden asar en una plancha caliente, cuando no se quiera usar la barbacoa al aire libre.

Ensalada tibia de calabacín y salmón a la brasa

4 cucharadas de aceite de oliva
zumo de 1 limón
2 cucharaditas de hierbas provenzales
1 diente de ajo machacado
6 calabacines tiernos cortados longitudinalmente por la mitad
2 filetes de salmón sin piel cortados en 3 tiras cada uno
85 g de ensalada de verduras para servir

PARA EL ADEREZO
3 cucharadas de aceite de oliva
1 cucharada de zumo de limón fresco
1 cucharadita de salsa de mostaza pommery
2 cucharadas de estragón fresco picado

20-30 minutos • 2 raciones (fácilmente dobles)

1 Preparar el aderezo. Medir los ingredientes y ponerlos en un tarro con tapa de rosca, sazonarlos y después batir o agitar la mezcla.
2 Mezclar después el aceite, el zumo, las hierbas provenzales, el ajo y algo de sazón en un bol. Remover bien los calabacines en esta marinada. Sacudir cualquier exceso y asarlos por tandas a la barbacoa durante 2-3 minutos por cada lado hasta que se ablanden. Apartarlos. Poner las tiras de salmón en el resto de la marinada, removerlas hasta cubrirlas y asarlas a la barbacoa durante 1-2 minutos por cada lado hasta que estén cocinadas.
3 Para servir, dividir las hojas de ensalada en dos platos y cubrirlas con los calabacines y el salmón. Volver a batir el aderezo y aliñar.

• Cada ración contiene: 635 kilocalorías, 31 g de proteína, 5 g de hidratos de carbono, 55 g de grasa, 9 g de grasa saturada, 1 g de fibra, 0 azúcar añadido, 0,27 g de sal.

Esta es una forma ingeniosa de asar el pescado a la barbacoa para que no quede seco. Para asarlo en el horno, calentar a una temperatura de 180 °C y hornear durante 20-25 minutos.

Papillote de pescado al limón

1 limón
100 g de cuscús
25 g de piñones tostados
1 calabacín pequeño cortado en rodajas finas
un puñadito de hojas picadas de eneldo fresco
150 ml de caldo concentrado de vegetales
1 filete de abadejo o de otro pescado de carne blanca firme

30 minutos • 1 ración (fácilmente doble)

1 Doblar una hoja grande de papel de aluminio por la mitad y estrujar uno de los extremos abiertos para sellarlo. Debe quedar una bolsa cuadrada con dos lados sellados y dos abiertos. Rallar la piel de un con el limón y mezclarla con el cuscús, los piñones, el calabacín y el eneldo. Sazonar e introducir dentro de la «bolsa» abierta. Cortar dos rodajas finas de limón. Extraer el zumo de medio limón y añadirlo al caldo.
2 Colocar el pescado sobre el cuscús, cubrirlo con las rodajas de limón y verter el caldo con el zumo por encima. Estrujar los extremos abiertos de la «bolsa» para sellarlos firmemente. Poner el papillote a asar en la barbacoa. Cerrar la tapa o cubrirlo con una bandeja para asar puesta del revés durante 20 minutos hasta que el pescado se cocine y el cuscús se desgrane.

• Cada ración contiene: 552 kilocalorías, 41 g de proteína, 57 g de hidratos de carbono, 20 g de grasa, 2 g de grasa saturada, 2 g de fibra, 6 g de azúcar añadido, 0,46 g de sal.

Sazonar el pescado con sal gema gruesa impide que se pegue a la barbacoa o a la plancha.

Sardina con ensalada de hinojo

ralladura y zumo de 1 limón
un manojo de perejil con la mitad de las hojas enteras y la otra mitad picadas
1 diente de ajo pequeño muy picado
1 bulbo de hinojo con las hojas
50 g de piñones tostados
50 g de pasas
un puñado de aceitunas sin hueso picadas
3 cucharadas de aceite de oliva, más un poco para rociar
4 sardinas grandes escamadas y limpias
sal gema para sazonar

30 minutos • 2 raciones

1 Mezclar la ralladura de limón, el perejil picado y el ajo. Reservar. Desprender o escamochar las hojas del hinojo y apartarlas. Cortar el bulbo por la mitad y picarlo en rodajas finas. Para preparar la ensalada, mezclar las rodajas de hinojo y sus hojas con el piñón, las pasas, las aceitunas y las hojas de perejil enteras. Aliñarlas con el aceite de oliva y el zumo de limón.

2 Calentar la barbacoa o la plancha a temperatura media-alta. Sazonar las sardinas con sal gema. Asarlas durante 2-3 minutos por cada lado hasta que los ojos estén blancos. Rociar el pescado con la mezcla de limón y perejil, y ponerlo en los platos. Aliñarlo con un poco de aceite y servir con la ensalada de hinojo.

• Cada ración contiene: 663 kilocalorías, 34 g de proteína, 20 g de hidratos de carbono, 50 g de grasa, 7 g de grasa saturada, 3 g de fibra, 20 g de azúcar añadido, 1,49 g de sal.

Las hamburguesas de pescado pueden resultar más delicadas que la carne para las comidas estivales. Dejarlas un rato en el congelador antes de cocinarlas evita que se desmiguen.

Hamburguesa de atún

200 g de filete de atún fresco
1 diente de ajo muy picado
un trocito de raíz de jengibre fresca pelada y muy picada
1 cucharada de salsa de soja
un puñado de cilantro fresco
1 cucharada de aceite de oliva
2 panecillos para hamburguesa
hojas de lechuga, tomate y aguacate cortados en rodajas

25 minutos • 2 raciones

1 Cortar el atún en trozos pequeños y seguir troceándolo hasta que quede picado muy fino. Ponerlo en un bol y mezclarlo con el ajo, el jengibre, la salsa de soja y el cilantro. Darle forma de dos hamburguesas, colocarlas en un plato congelarlas durante 10 minutos o enfriarlas durante algunas horas para que no se deshagan.
2 Untar las hamburguesas con el aceite y asarlas a la barbacoa o freírlas en un sartén a temperatura media durante 1-2 minutos por cada lado hasta que estén hechas al gusto. Servirlas en un plato en los panecillos tostados con la lechuga, el tomate y el aguacate.

• Cada hamburguesa contiene: 97 kilocalorías, 12 g de proteína, 1 g de hidratos de carbono, 5 g de grasa, 1 g de grasa saturada, 0 fibra, 0 azúcar, 0,74 g de sal.

Si se emplean brochetas de madera o de bambú, dejarlas en remojo durante media hora aproximadamente antes de ensartar las gambas.

Gambas con albahaca y mayonesa aromatizada con laurel

40 g de hojas de albahaca fresca
6 cucharadas de aceite de oliva
250 ml de mayonesa
zumo de 1 lima
32 gambas grandes crudas, sin cabeza ni caparazón
24 hojas pequeñas de laurel fresco

20-30 minutos • 8 raciones

1 Para preparar la mayonesa aromatizada con laurel, poner las hojas en un robot de cocina con 2 cucharadas de aceite de oliva. Batir 1-2 minutos hasta obtener una pasta blanda. Añadir la mayonesa y exprimir el zumo de lima. Se deben conservar las mitades exprimidas. Mezclar hasta que la mayonesa esté cremosa, pasarla a un bol y enfriar.

2 Ensartar cuatro gambas y tres hojas de albahaca en cada una de las ocho brochetas preparadas previamente. Untarlas con el resto del aceite y sazonar. Asarlas a la barbacoa o a la parrilla a temperatura media-alta 4-5 minutos, dándoles la vuelta una vez, hasta que adquieran un color rosado y se ablanden. Rellenar las mitades exprimidas de lima con cucharadas de mayonesa aromatizada y servir.

• Cada ración contiene: 301 kilocalorías, 11 g de proteína, 1 g de hidratos de carbono, 28 g de grasa, 4 g de grasa saturada, 0 fibra, 0 azúcar añadido, 0,65 g de sal.

Si la barbacoa no se puede usar o el estado del tiempo no resulta favorable, se puede calentar el horno a 200 °C para hacer estar papillote en 25 minutos.

Lubina asada con limoncillo y jengibre

1 lubina de 1,4 kg aproximadamente entera y limpia
2 cucharadas de aceite de oliva, más un poco para engrasar el papel de aluminio
3 tallos de limoncillo cortados diagonalmente en trozos de 2,5 cm
2 chiles pequeños sin semilla y cortados por la mitad
2 dientes de ajo cortados por la mitad
un trocito de 3 cm de raíz de jengibre fresca, pelada y cortada en juliana
1 cucharadita de miel de abeja clara
2 limas
unas cuantas tiras de corteza de lima

30-35 minutos • 4 raciones

1 Hacer unos cortes en la piel del pescado. Colocarlo sobre una hoja grande de papel de aluminio aceitado. Majar el limoncillo, el chile, el ajo, el jengibre, la miel, 1 cucharada de aceite y el zumo de 1 lima en un mortero.

2 Sazonar el pescado y untarlo con la mitad de la mezcla de limoncillo y el resto del aceite. Cortar la otra lima en cuartos, introducir dos en la cavidad abdominal del pescado con el resto de la mezcla y las tiras de corteza de lima. Exprimir la lima restante sobre el pescado, y hacer el papillote con el papel de aluminio.

3 Colocarlo en la barbacoa y bajar la tapa o cubrirlo con una bandeja para asar puesta al revés. Asarlo durante 25 minutos y dejarlo reposar durante 5 minutos antes de abrir el papillote.

• Cada ración contiene: 291 kilocalorías, 43,6 g de proteína, 2,4 g de hidratos de carbono, 11,9 g de grasa, 1,9 g de grasa saturada, 0,1 g de fibra, 1,3 g de azúcar, 0,40 g de sal.

El pescado a la barbacoa o a la parrilla y esta salsa de sabor refrescante son una combinación perfecta.

Pescado asado a la parrilla con salsa de aguacate

1 aguacate maduro
2 tomates pera maduros troceados
1 cebolla roja o morada pequeña muy picada
3 cucharadas de aceite de oliva, más un poco para rociar
zumo de ½ limón o 1 lima
un puñado de hojas de cilantro fresco
2 filetes de pescado de 140 g —como el bacalao del Pacífico o el halibut— con piel

10-15 minutos • 2 raciones

1 Cortar el aguacate por la mitad, quitar el hueso y con una cuchara extraer trozos de pulpa y depositarlos en un bol. Mezclarlos cuidadosamente con el resto de los ingredientes —excepto el pescado— y reservar.

2 Calentar la barbacoa o la plancha hasta una temperatura muy elevada. Sazonar el pescado y rociarlo con un poco del aceite de oliva. Asar los filetes durante 2-3 minutos por cada lado hasta que se tuesten y se cocinen. Servir con la salsa de aguacate.

• Cada ración contiene: 423 kilocalorías, 28 g de proteína, 6 g de hidratos de carbono, 32 g de grasa, 4 g de grasa saturada, 3 g de fibra, 0 azúcar añadido, 0,25 g de sal.

Una ensalada con fuerte sabor a cítrico realza este pescado deliciosamente aceitoso.

Atún a la brasa con ensalada de perejil

2 filetes de atún
1 cucharada de aceite de oliva
2 gajos de limón y algunas patatas nuevas para servir

PARA LA ENSALADA
dos puñados de hojas de perejil picadas muy finas
2 chalotes cortados en rodajas finas
1 cucharada de alcaparras picadas muy finas
un puñadito de aceitunas verdes sin hueso y picadas muy finas
6 cucharadas de aceite de oliva
1 cucharada de mostaza de Dijon
zumo de ½ limón

20 minutos • 2 raciones

1 Para preparar primero la ensalada, mezclar todos los ingredientes y reservar mientras se hace el atún.

2 Calentar la plancha o la barbacoa hasta que prácticamente humee. Untar el atún con aceite de oliva y sazonarlo. Asar los filetes durante 1 minuto por cada lado. Si se desea obtener una forma entrecruzada, girarlos 90º a mitad del proceso. Si se prefiere el atún bien hecho, se cocina algunos minutos más por cada lado.

3 Cada filete se sirve con la mitad de la ensalada, un gajo de limón para exprimir por encima y unas cuantas patatas nuevas al gusto.

• Cada ración contiene: 578 kilocalorías, 35 g de proteína, 3 g de hidratos de carbono, 48 g de grasa, 7 g de grasa saturada, 2 g de fibra, 2 g de azúcar añadido, 2,30 g de sal.

El provolone es un queso italiano perfecto para la barbacoa porque, a diferencia de la mayoría, no se derrite. También es excelente a la parrilla cuando el tiempo no favorece las barbacoas.

Ensalada de provolone, sandía y menta

250 g de queso provolone cortado en lonchas finas
1 kg de sandía con la pulpa picada
200 g de habichuelas finas
un manojo pequeño de menta fresca cortada en tiras finas
zumo de 1 limón
1 cucharada de aceite de oliva, más un poco para rociar
pan de pita tostado para servir

15 minutos • 4 raciones

1 Asar el queso a la barbacoa o a la parrilla a temperatura alta durante algunos minutos por cada lado hasta que se dore y esté crujiente.
2 Mientras, mezclar la sandía, las habichuelas y la menta con el zumo del limón y el aceite, sazonar y colocar en capas sobre platos con las lonchas de queso. Rociar con un poco más de aceite al gusto y servir con pan de pita caliente.

• Cada ración contiene: 287 kilocalorías, 14 g de proteína, 12 g de hidratos de carbono, 20 g de grasa, 10 g de grasa saturada, 1 g de fibra, 12 g de azúcar, 2,29 g de sal.

La harissa es una pasta picante que se usa con frecuencia en la cocina marroquí. En su defecto, se puede sustituir por un poquito de chile en polvo.

Falafel con salsa de tomate

400 g de garbanzos escurridos y lavados
1 cebolla roja o morada pequeña picada
1 diente de ajo picado
un puñado de hojas de perejil
1 cucharadita de comino molido
1 cucharadita de cilantro
½ cucharadita de pasta picante harissa
2 cucharadas de harina pura
2 cucharadas de aceite de oliva
pan de pita tostado,
200 g de salsa de tomate y ensalada de verduras para servir

15 minutos • 4 raciones

1 Secar los garbanzos con papel antes de ponerlos en un robot de cocina con la cebolla, el ajo, el perejil, las especias, la pasta picante, la harina y un poquito de sal. Batirlos hasta que estén relativamente cremosos y después formar cuatro hamburguesas.
2 Untarlas con el aceite y asarlas a la barbacoa durante unos minutos por ambos lados hasta que se calienten. Se puede calentar el aceite en un sartén antiadherente, añadir las hamburguesas y freírlas rápidamente durante 3 minutos por cada lado hasta que se doren un poco. Servir con el pan de pita tostado, la salsa de tomate y una ensalada de verduras.

• Cada hamburguesa de falafel: contiene 161 kilocalorías, 6 g de proteína, 18 g de hidratos de carbono, 8 g de grasa, 1 g de grasa saturada, 3 g de fibra, 1 g de azúcar, 0,36 g de sal.

Añadir pan a un kebab no es algo habitual, pero produce un crujido delicioso, especialmente con un queso suave y cremoso.

Kebab tostado con feta

1 limón para rallar y para cortar longitudinalmente
1 baguete cortada en rebanadas del tamaño de un bocado
200 g de queso feta con poca grasa cortado en 8 trozos
8 tomates cherry
2 ramitas de romero fresco picado
1 cucharada de aceite de oliva

15 minutos • 2 raciones

1 Cortar longitudinalmente el limón por la mitad. Cortar una de las mitades en gajos y la otra en rodajas. Ensartar una rebanada de pan en una brocheta, seguida de un trozo de queso, una rodaja de limón y un tomate cherry. Repetir el proceso y terminar con una rebanada de pan. Preparar tres brochetas más de esta manera y poner los kebabs sobre una bandeja de pastelería.

2 Espolvorear con ralladura de limón y romero, y rociar con aceite. Asar en la bandeja a temperatura media-alta o poner los kebabs en el elevador-parrilla de la barbacoa y asarlos durante 1-2 minutos por cada lado hasta que se dore el queso. Servir con gajos de limón.

• Cada ración contiene: 732 kilocalorías, 26 g de proteína, 61 g de hidratos de carbono, 45 g de grasa, 16 g de grasa saturada, 3 g de fibra, 8 g de azúcar, 5,25 g de sal.

Si no hay pan khubuz árabe disponible, la tortilla mexicana o el pan de pita resultan igualmente deliciosos.

Tacos de pimientos asados y provolone

2 lonchas gruesas de queso provolone
½ cucharadita de orégano seco
1 cucharada de aceite de oliva
2 panes khubuz árabes (son semejantes al pan de pita)
2 pimientos rojos asados en conserva
6 rodajas de berenjena asada en conserva
un puñado de aceitunas de Kalamata
4 gajos de limón
un buen puñado de ramitas de perejil

15 minutos • 2 raciones

1 Espolvorear ambos lados del queso con el orégano y untarles un poquito de aceite. Asarlo a la barbacoa o a la plancha a temperatura media-alta unos minutos por cada lado hasta que se dore y esté crujiente. Mientras, calentar los panes en la barbacoa unos segundos.
2 Cortar los pimientos en mitades gruesas, quitar las semillas, y mezclarlos con la berenjena y las aceitunas en una bandeja de pastelería. Poner la bandeja en la barbacoa o en el horno a temperatura media un par de minutos para calentar los vegetales. Exprimirles por encima dos gajos de limón y sazonarlos. Para servir, distribuir las verduras, las lonchas de queso y las ramitas de perejil entre los tacos de pan, con un gajo de limón.

• Cada ración contiene: 561 kilocalorías, 14 g de proteína, 51 g de hidratos de carbono, 35 g de grasa, 8 g de grasa saturada, 5 g de fibra, 0 azúcar añadido, 0,91 g de sal.

Estas salsas versátiles combinan bien con otras verduras a la parrilla como el calabacín, los pimientos rojos y amarillos, y con el pollo picante.

Berenjena con salsas de yogur y de tomate

1 berenjena grande y gruesa
3 cucharadas de aceite de oliva
140 g de tomates cherry cortados por la mitad
1 diente de ajo machacado
una pizca de hojuelas de chile deshidratado
1 yogur natural desnatado
1 cucharada de hojas de menta fresca picadas

30 minutos • 2 raciones

1 Pelar la berenjena y cortarla longitudinalmente en 6 tiras gruesas. Sazonarlas y untarlas con 2 cucharadas del aceite. Calentar el resto del aceite en una cacerola pequeña y añadirle los tomates, el ajo y el chile con un poquito de sal. Cocer a temperatura baja durante 3-4 minutos hasta que se ablanden los tomates. Mezclar el yogur con la menta y algo de condimento en un bol pequeño.

2 Asar la berenjena a la barbacoa, a la plancha o a la parrilla, a temperatura media-alta durante 5-6 minutos por cada lado hasta que esté bien dorada y blanda. Servir tres tiras por persona con la salsa de yogur con menta y la salsa de tomate.

• Cada ración contiene: 230 kilocalorías, 6 g de proteína, 11 g de hidratos de carbono, 18 g de grasa, 3 g de grasa saturada, 5 g de fibra, 10 g de azúcar, 0,16 g de sal.

La polenta se prepara con harina de maíz y es una fuente ideal de hidratos de carbono para cualquier persona con una dieta sin trigo o sin gluten.

Bruschettas de polenta con tapenade

700 ml de caldo de verduras
140 g de polenta instantánea
2 cucharadas de albahaca fresca picada
aceite de oliva para engrasar y untar
9 cucharaditas de pasta tapenade
9 tomates secos cortados por la mitad
100 g de hojas de ensalada mixta para servir

40 minutos, más 1 hora de reposo
• 6 raciones

1 Llevar el caldo a ebullición en una cacerola y después dejarlo hervir a fuego lento. Añadir la polenta con un vertido constante y sin dejar de remover. Cocer 5 minutos hasta que se espese. Añadirle la albaca antes de condimentarla. Verter la polenta sobre una bandeja de pastelería (de 24 cm x 18 cm) engrasada, y dejarla reposar 1 hora.
2 Dividirla en nueve rectángulos (de 8 cm x 6 cm). Cortarlos después diagonalmente por la mitad para formar triángulos. Calentar la plancha o la barbacoa a temperatura alta, untar cada triángulo con aceite y cocerlos durante 4-5 minutos por cada lado hasta que estén crujientes y dorados.
3 Poner ½ cucharadita de tapenade y ½ tomate encima de cada triángulo. Servir cada bruschetta o rebanada de pan tostado caliente sobre una base de hojas de ensalada.

• Cada ración contiene: 198 kilocalorías, 4 g de proteína, 20 g de hidratos de carbono, 12 g de grasa, 2 g de grasa saturada, 1 g de fibra, 0 azúcar añadido, 0,97 g de sal.

Estas quesadillas se pueden freír también en una sartén grande o cocer en una parrilla caliente. El relleno se varía al gusto.

Quesadillas

4 tortillas mexicanas
85 g de queso cheddar rallado
4 tomates en conserva picados
1 cucharada de chile jalapeño en conserva escurrido y picado
un puñado de hojas de cilantro fresco
salsa y ensalada de aguacate para servir

10 minutos • 2-4 raciones

1 Poner dos tortillas, una junto a la otra, en la barbacoa caliente. Cubrirlas uniformemente con los ingredientes y taparlas con las restantes. Asarlas durante 3 minutos hasta que estén ligeramente crujientes y doradas. Darles la vuelta después con cuidado en una bandeja de pastelería llana. Cocerlas por el otro lado durante 3 minutos hasta que el queso se haya derretido.
2 Extraerlas de la barbacoa con la bandeja y cortarlas en trozos. Las quesadillas son excelentes cuando se sirven con salsa para mojar y ensalada de aguacate.

• Cada ración (4) contiene: 248 kilocalorías, 10 g de proteína, 34 g de hidratos de carbono, 9 g de grasa, 5 g de grasa saturada, 2 g de fibra, 1 g de azúcar, 1,03 g de sal.

Este plato principal vegetariano se sirve con tortillas de harina calientes, fáciles de convertir en jugosos sándwiches.

Verdura a la barbacoa con queso de cabra

4 berenjenas cortadas longitudinalmente en tiras de 1 cm
8 tomates pera cortados cada uno en 3 rodajas gruesas
dos manojos de cebollinos sin tallo
150 ml de aceite de oliva virgen extra, más un poco para rociar
2 cucharadas de vinagre de vino blanco
3 dientes grandes de ajo machacados
200 g de queso de cabra
8 tortillas de harina
un puñado grande de hojas de albahaca fresca para servir

35-40 minutos • 8 raciones

1 Poner las tiras de berenjena, los tomates y los cebollinos enteros en un plato llano grande. Batir el aceite de oliva, el vinagre y el ajo con bastante condimento antes de verterlos sobre los vegetales y remover.

2 Retirar las tiras de berenjena del adobo para asarlas a la barbacoa o a la parrilla a una temperatura media-alta durante 4-5 minutos por cada lado hasta que se ablanden y queden marcadas por la rejilla. Reservarlas en un plato grande. Asar los tomates y los cebollinos a la barbacoa durante 3-4 minutos. Darles la vuelta una vez y añadirlos a la berenjena. Desmenuzar el queso sobre las verduras calientes, rociarlo con un poco de aceite y revolver.

3 Calentar las tortillas en la barbacoa durante 1-2 minutos y darles la vuelta antes de servirlas con las verduras calientes espolvoreadas con albahaca.

• Cada ración contiene: 415 kilocalorías, 10 g de proteína, 36 g de hidratos de carbono, 26 g de grasa, 3 g de grasa saturada, 5 g de fibra, 1 g de azúcar añadido, 1,89 g de sal.

Tostar ligeramente los bordes de los panecillos los mantiene crujientes durante más tiempo.

Hamburguesas de ajo y setas

4 champiñones sin tallo
1 cucharadita de aceite de oliva
50 g de queso gruyere vegetariano rallado
1 diente de ajo machacado
1 cucharada de mantequilla reblandecida
4 panecillos chapata o para hamburguesa cortados y tostados
lechuga, tomates y cebolla roja o morada picada para servir

20 minutos • 4 raciones

1 Calentar la barbacoa o la parrilla a temperatura media-alta. Untar los champiñones con el aceite antes de asarlas durante 3 minutos por cada lado hasta que se cocinen, pero se conserven todavía firmes.

2 Mezclar el queso, el ajo, la mantequilla y algo de condimento en un bol y cubrir las setas con esta mezcla. Asarlas durante unos cuantos minutos más hasta que el queso empiece a derretirse. Rellenar los panecillos tostados con estas «hamburguesas» y la ensalada.

• Cada ración contiene: 228 kilocalorías, 11 g de proteína, 23 g de hidratos de carbono, 11 g de grasa, 5 g de grasa saturada, 3 g de fibra, 1 g de azúcar, 1,05 g de sal.

Si se prefiere cocinar dentro de casa, basta con asarlas a la parrilla durante 3-4 minutos hasta que se tuesten.

Brochetas de provolone con limón y romero

- 2 cucharadas de aceite de oliva
- 1 ramito de romero fresco con las hojas picadas
- 1 limón grande cortado longitudinalmente por la mitad
- 250 g de queso provolone cortado en trozos grandes
- 1 cebolla roja o morada pequeña cortada en 8 tozos
- 1 calabacín cortado en 8 trozos
- humus y cuscús para servir

20 minutos, más 15 minutos en adobo
• 4 raciones

1 Mezclar el aceite de oliva y el romero en un bol que no sea de metal. Mondar la corteza y exprimir el zumo de ½ limón, y añadirlos a la mezcla. Sazonarla al gusto y añadir los trozos de queso para envolverlos con el adobo. Taparlos y dejarlos en adobo durante 15 minutos.

2 Cortar la otra mitad del limón en cuatro trozos y volver a cortar cada una por la mitad. Sacar el queso del adobo para ensartarlo en cuatro brochetas de metal con la cebolla, los gajos de limón y el calabacín. Asarlas a la barbacoa durante 5-10 minutos dándoles la vuelta de vez en cuando y untándolas con el resto del adobo. Servir con humus y cuscús.

• Cada brocheta contiene: 237 kilocalorías, 12 g de proteína, 3 g de hidratos de carbono, 20 g de grasa, 9 g de grasa saturada, 1 g de fibra, 2 g de azúcar, 2,06 g de sal.

Asar berenjenas en el horno o a la barbacoa permite conservar su forma para rellenarlas.

Berenjena rellena acompañada de cilantro y yogur

1 berenjena mediana
2 cucharadas de aceite de oliva
zumo de 1 limón, ralladura de ½ limón
100 g de cuscús
300 ml de caldo de verduras
85 g de albaricoques secos
4 tomates escurridos y picados
3 cebollinos muy picados
25 g de piñones tostados
una pizca de canela molida
ensalada de hojas de verduras para servir

PARA EL ADEREZO
4 cucharadas de yogur griego natural
2 cucharaditas de zumo de limón fresco
1 diente grande de ajo machacado
un trocito de raíz de jengibre fresco muy picada
un puñadito de cilantro fresco picado

45 minutos • 2 raciones

1 Cortar la berenjena longitudinalmente por la mitad y hacerle unos cortes profundos. Mezclar el aceite, el zumo de limón y el condimento, y untarlo sobre la superficie cortada. Asar la berenjena a la barbacoa con la pulpa hacia abajo y cubierta con una bandeja o con la tapa de la barbacoa durante 15-20 minutos.
2 Poner el cuscús con el caldo hirviendo en un bol, y dejarlo en remojo durante 10 minutos. Añadir el albaricoque, el tomate, el cebollino, los piñones, la canela, y mezclar.
3 Extraer la carne de la berenjena dejando la piel intacta. Trocearla y añadir el cuscús condimentado. Poner cuscús dentro de cada piel, y conservar cualquier sobrante en un bol. Batir los ingredientes del aderezo y rociar sobre cada berenjena acompañada con una ensalada de hojas de verduras.

• Cada ración contiene: 398 kilocalorías, 12 g de proteína, 49 g de hidratos de carbono, 19 g de grasa, 4 g de grasa saturada, 7 g de fibra, 0 azúcar añadido, 1,05 g de sal.

Esta ensalada también resulta apropiada como guarnición de la mayoría de las carnes y pescados a la barbacoa o a la parrilla.

Ensalada tibia de garbanzos

1 cebolla roja o morada cortada en trozos
2 calabacines cortados en rodajas gruesas
1 pimiento rojo sin semilla cortado en trozos grandes
375 g de tomates maduros
5 cucharadas de aceite de oliva
zumo de ½ limón
3 cucharadas de hierbas aromáticas frescas mezcladas, picadas o cortadas (por ejemplo: cebolleta, perejil y menta), o 3 cucharadas de perejil fresco
800 g de garbanzos escurridos y lavados
100 g de queso feta cortado en dados

45 minutos • 4 raciones

1 Ensartar las verduras en unas cuantas brochetas, rociarlas con un poco del aceite de oliva y asarlas a la barbacoa o a la parrilla a una temperatura media-alta. Darles la vuelta hasta que se ablanden y se tuesten ligeramente. Los tomates tardarán menos.
2 Mientras, mezclar el zumo de limón con el resto del aceite de oliva para preparar el aliño. Condimentar y mezclar con las hierbas aromáticas.
3 Cuando se hayan asado las verduras, dejar que se enfríen antes de extraerlas de las brochetas. Cortar los tomates por la mitad. Poner las verduras en un bol con los garbanzos, el queso y el aliño. Mezclar ligeramente antes de servir.

• Cada ración contiene: 371 kilocalorías, 15 g de proteína, 28 g de hidrato de carbono, 23 g de grasa, 5 g de grasa saturada, 7 g de fibra, 0 azúcar añadido, 1,62 g de sal.

Estas hamburguesas se conservan muy bien si se congelan crudas y envueltas en papel encerado.

Hamburguesas de verduras con queso

2 cucharadas de aceite de oliva
2 puerros cortados en rodajas
200 g de setas cortadas en rodajas
2 zanahorias peladas y ralladas
1 cucharadita de comino
1 cucharadita de chile no muy picante en polvo
1 cucharada de salsa de soja
300 g de judías pintas o rojas escurridas y lavadas
100 de queso cheddar rallado
200 g de pan de harina de trigo integral con granos malteados desmenuzados
panecillos para hamburguesa tostados, lechuga, tomate y las salsas que se prefieran para servir

30 minutos • 4 raciones

1 Calentar la mitad del aceite en una cacerola. Añadir las verduras, las especias y la salsa de soja. Cocinarlas durante 10 minutos. Mientras, se remueven de vez en cuando hasta que se ablanden. Ponerlas en un robot de cocina con las judías, el queso y el pan, y mezclar hasta obtener una pasta gruesa.

2 Moldear la pasta con las manos mojadas para formar 8 hamburguesas. Untarlas con un poco del resto del aceite antes de asarlas a la barbacoa o freírlas durante 2-3 minutos por cada lado hasta que estén crujientes. Servir con los panecillos tostados, ensalada y cualquier salsa —ketchup, mayonesa— como acompañamiento.

• Cada ración contiene: 177 kilocalorías, 8 g de proteína, 21 g de hidratos de carbono, 7 g de grasa, 3 g de grasa saturada, 4 g de fibra, 5 g de azúcar añadido, 2,13 g de sal.

El trigo bulgur tiene un sabor y una textura semejantes a los de la nuez. Para variar, se puede probar como sustituto del cuscús en las ensaladas.

Tabulé de feta con berenjena

140 g de trigo bulgur
2 dientes de ajo machacados
4 cucharadas de aceite de oliva
2 berenjenas cortadas longitudinalmente en tiras finas
400 g de garbanzos escurridos
140 g de tomates cherry cortados por la mitad
1 cebolla roja o morada picada
100 g de queso feta desmenuzado
un manojo grande de menta fresca con las hojas picadas
zumo de 1 ½ limón

30 minutos • 4 raciones

1 Cocinar el bulgur según las instrucciones del envase y escurrirlo bien. Mezclar el ajo y el aceite de oliva en un bol pequeño. Emplear la mitad, con algo de condimento, para untar ambos lados de la tiras de berenjena. Dorarlas rápidamente a la barbacoa con fuego muy vivo, o en un sartén durante 3 minutos por cada lado hasta que se tuesten y se ablanden.
2 Poner el trigo bulgur con los garbanzos, el tomate, la cebolla, el queso y la menta en un bol grande, y añadir el resto del aceite con ajo y el zumo de limón. Mezclar y sazonar antes de servir en un plato con la berenjena tostada.

• Cada ración contiene: 395 kilocalorías, 14 g de proteína, 44 g de hidratos de carbono, 19 g de grasa, 5 g de grasa saturada, 6 g de fibra, 7 g de azúcar, 1,29 g de sal.

Estos pequeños trozos son perfectos como entrante mientras se espera al resto de los platos a la barbacoa. Se puede probar con pan de pita común o con sabores.

Bocadillo tostado de feta

6 panes de pita
200 g de queso feta
20 g de hojas de perejil o de menta picadas
pimienta negra recién molida al gusto
verduras crudas, humus, salsa tzatziki o la salsa para acompañar que se prefiera, para servir

15 minutos • 6 raciones (fácilmente dobles)

1 Tostar ligeramente los panes de pita —inflados, pero no dorados— y después dejarlos enfriar durante unos minutos. Mientras majar el queso en un bol grande. Añadir removiendo las hierbas aromáticas y bastante pimienta.
2 Abrir los panes solo por un borde para rellenarlos con cucharadas de queso.
3 Para servir, volver a poner el pan en la tostadora o en la barbacoa con el borde abierto hacia arriba hasta que se tueste. Dejarlo enfriar durante 2 minutos antes de cortarlo en trozos. Se consume mejor después de 30 minutos de haberlo tostado. Servir con una variedad de salsas como acompañamiento.

• Cada ración contiene: 277 kilocalorías, 12 g de proteína, 42 g de hidratos de carbono, 8 g de grasa, 4 g de grasa saturada, 2 g de fibra, 3 g de azúcar, 2,06 g de sal.

Esta salsa de sabor refrescante es la combinación ideal para carnes y pescados a la barbacoa. Condimentarla justo antes de servir evita que quede acuosa.

Salsa de tomate, pepino y cilantro

6 tomates en rama maduros
1 pepino pequeño sin semilla y cortado en dados pequeños
1 cebolla roja o morada muy picada
un manojo pequeño de cilantro fresco para picar las hojas

15 minutos • 6 raciones

1 Cortar los tomates por la mitad, extraer y desechar la semilla, y después picar bien la pulpa. Mezclar el tomate picado con los dados de pepino, la cebolla y el cilantro, y ponerlos a enfriar hasta el momento de servir. Se pueden refrigerar hasta un día antes de sazonar y consumir.

2 Añadir algo de condimento antes de servir la salsa. Removerla al final y servirla con hamburguesas, pollo o pescado a la barbacoa.

• Cada ración contiene: 34 kilocalorías, 2 g de proteína, 6 g de hidratos de carbono, 0 grasa, 0 grasa saturada, 2 g de fibra, 6 g de azúcar, 0,03 g de sal.

Este plato se puede preparar tranquilamente el día antes, enfriar, y devolver a temperatura ambiente para servirlo después de removerlo bien.

Ensalada de habas y tomate

400 g de habas escurridas y lavadas
500 g de tomates cherry cortados en cuartos
2 calabacines verdes o amarillos pequeños cortados en dados muy pequeños
1 cebolla roja o morada pequeña picada
un manojo pequeño de cilantro fresco picado
2 cucharadas de zumo de limón fresco
3 cucharadas de aceite de oliva
1 cucharadita de comino molido

15-20 minutos • 6-8 raciones

1 Poner todos los ingredientes en un bol con algo de sal y pimienta, y mezclarlos. Taparlos y dejarlos a temperatura ambiente hasta el momento de servir.

• Cada ración (6) contiene: 109 kilocalorías, 4 g de proteína, 9 g de hidratos de carbono, 6 g de grasa, 1 g de grasa saturada, 3 g de fibra, 0 azúcar añadido, 0,41 g de sal.

Todos los sabores de la primavera italiana están concentrados aquí con un par de ingredientes británicos.

Ensalada de primavera con berros

550 g de patatas nuevas lavadas con agua y cepillo
200 g de habas sin vaina
200 g de espárragos tiernos frescos
100 g de guisantes frescos
90 g de jamón serrano cortado en tiras
125 g de hojas de ensalada mixta
100 g de queso pecorino cortado en láminas bien delgadas

PARA EL ADEREZO
50 g de berros frescos picados
6 cucharadas de aceite de oliva virgen extra
2 cucharadas de vinagre de sidra
una pizca de azúcar

30-35 minutos • 4 raciones

1 Cocer las patatas en agua hirviendo con sal durante 10-15 minutos. Escurrirlas y, cuando estén frías, cortarlas por la mitad. Escaldar las habas y el espárrago en agua salada hirviendo durante 2-3 minutos. Añadir los guisantes en el último minuto. Escurrir con un colador fino y enfriar bajo un chorro de agua. Mezclar los espárragos, las habas, los guisantes, las patatas y el jamón.
2 Poner todos los ingredientes en una licuadora o en un robot de cocina, y batirlos rápidamente hasta que estén bien cremosos y de color verde brillante antes de condimentarlos.
3 Mezclar la ensalada con 1-2 cucharadas del aderezo y emplatar. Poner encima la mezcla de verduras, sazonar, echar el resto del aderezo y espolvorear con queso.

• Cada ración contiene: 493 kilocalorías, 25 g de proteína, 31 g de hidratos de carbono, 31 g de grasa, 9 g de grasa saturada, 7 g de fibra, 0,5 g de azúcar añadido, 1,57 g de sal.

Se trata de una versión actualizada del pan de ajo, convertida en algo maravillosamente empalagoso con queso jarlsberg, eterno acompañamiento de las ensaladas y de las barbacoas veraniegas.

Tostadas de ajo y queso

85 g de mantequilla a temperatura ambiente
2 dientes de ajo muy picados
175 g de queso jarlsberg rallado grueso
2 cucharadas de perejil picado
¼ de cucharadita de chile seco machacado
1 pan rústico francés redondo

35-45 minutos • 12 raciones cortadas en cuña

1 Precalentar el horno a 190 °C. Batir la mantequilla con el ajo y mezclarlos con el queso, el perejil y el chile. Cortar el pan transversalmente por la mitad, por su centro.

2 Extender la mezcla de queso sobre la cara del corte de las dos mitades del pan. Envolver cada una holgadamente en papel de aluminio y ponerlas en una bandeja de pastelería. Hornearlas durante 20 minutos, abrir el papel de aluminio y volver a hornearlas durante 10-15 minutos más hasta que se doren ligeramente. Cortarlas en trozos y servir.

• Cada cuña contiene: 152 kilocalorías, 5 g de proteína, 10 g de hidratos de carbono, 10 g de grasa, 6 g de grasa saturada, 1 g de fibra, 0 azúcar añadido, 0,92 g de sal.

Esta riquísima ensalada, tanto si se sirve caliente como fría, es un acompañamiento delicioso para una barbacoa.

Tomates asados con espárragos y aceitunas negras

750 g de tomates cherry
5 cucharadas de aceite de oliva
6 dientes de ajo pelados y cortados por la mitad
24 espárragos
un puñado de aceitunas negras de calidad, sin hueso y picadas

35-45 minutos • 6 raciones

1 Precalentar el horno a 200 °C. Distribuir los tomates sobre una bandeja de horno grande y pincharlos con un tenedor. Rociarlos con 2 cucharadas de aceite, salpimentar y esparcir el ajo por encima. Asarlos en el horno durante 15 minutos. Reservar y eliminar el exceso de jugos.
2 Mientras, colocar los espárragos en un sartén grande a temperatura media. Bañarlos con las 3 cucharadas restantes de aceite, espolvorearlos con algún condimento, y darles la vuelta hasta que se calienten y se cubran uniformemente con el aceite. Separar los tomates a un lado de la bandeja y poner los espárragos al lado. Volver a hornearlos durante 15 minutos. Esparcir las aceitunas por encima y servir.

• Cada ración contiene: 102 kilocalorías, 3 g de proteína, 5 g de hidratos de carbono, 8 g de grasa, 1 g de grasa saturada, 2 g de fibra, 0 azúcar añadido, 0,18 g de sal.

Como no contiene hojas de ensalada que se pongan mustias, esta es una buena idea para cuando tengamos que contribuir con un plato a una fiesta en la barbacoa.

Ensalada de fideos rehogados

250 g fideos de huevo
4 cucharadas de aceite de sésamo
2 pimientos rojos sin semillas en juliana
2 zanahorias cortadas en bastoncillos
raíz de jengibre fresca muy picada
2 dientes de ajo muy picados
4 hojas de lima kaffir
un manojo de cebollinos en juliana
6 cucharadas de salsa de soja
puñados de judías germinadas
250 g de tofu cortado en dados
un manojo de cilantro fresco con los tallos picados y las hojas cortadas

PARA EL ADEREZO
4 hojas de lima kaffir
150 ml de vinagre de vino de arroz
2 tallos de limoncillo
1/3 de chile rojo fresco
2 cucharadas de azúcar de grano fino

25 minutos • 6 raciones

1 Para preparar el aderezo, poner todos los ingredientes en una cacerola pequeña y hervirlos a fuego lento. Cocerlos durante 1 minuto y retirarlos del calor para hacer una infusión.
2 Cocer los fideos según las instrucciones del envase, escurrirlos y removerlos bien con 3 cucharadas de aceite. Dejarlos y removerlos de vez en cuando para que no se peguen.
3 Calentar el resto del aceite en un wok y rehogar el pimiento, la zanahoria, el jengibre y el ajo durante 1 minuto. Para servir, poner los fideos en un bol con las hojas de lima kaffir y el resto de los ingredientes, reservando un poco de cilantro. Verter el aderezo por encima y mezclar. Servirlo en un bol y esparcir el resto del cilantro por encima.

• Cada ración contiene: 301 kilocalorías, 10 g de proteína, 44 g de hidratos de carbono, 11 g de grasa, 1 g de grasa saturada, 3 g de fibra, 14 g de azúcar, 3,35 g de sal.

Esta ensalada sencilla se sirve tan pronto se haya aliñado. Resulta maravillosa con pollo braseado a la barbacoa, kebab o hamburguesa de cordero.

Ensalada de calabacín

- 2 calabacines grandes
- 3 cucharadas de aceite de oliva
- 1 cucharada de zumo de limón o de lima
- 1 cucharada de miel de abeja clara
- 2 cucharaditas de semillas de amapola
- 1 diente de ajo machacado

10 minutos • 4 raciones

1 Rallar los calabacines en una fuente. Para preparar el aliño, batir el resto de los ingredientes y algo de condimento en una jarra pequeña.

2 Para servir, mezclar el aliño con el calabacín.

• Cada ración contiene: 117 kilocalorías, 2,5 g de proteína, 5,5 g de hidratos de carbono, 9,6 g de grasa, 1,4 g de grasa saturada, 1,1 g de fibra, 4,9 g de azúcar, 0,01 g de sal.

Estos papillotes de boniato se pueden preparar con un día de antelación. Antes de servirlos, se han de asar a la barbacoa o en el horno.

Boniato picante

2 boniatos grandes pelados
4 cucharadas de aceite de oliva
2 cucharadas de hojas de tomillo fresco
2 ramitos de tomillo fresco
1 chile rojo sin semillas y muy picado

1 hora • 6 raciones

1 Cortar los boniatos en trozos longitudinales de 2,5 cm de grosor. Ponerlos en una hoja de papel de aluminio. Rociarlos con el aceite y esparcir por encima las hojas de tomillo y la mitad del chile antes de salpimentar. Untar los aderezos a mano por los lados y volver a colocarlos en el aluminio. Atravesar un ramito de tomillo sobre cada trozo y esparcir el resto del chile por encima. Forma dos papillotes con el papel de aluminio.

2 Colocar los papillotes en la rejilla sobre la parte más caliente de la barbacoa o de un horno precalentado a 220 ºC y asar durante 45 minutos hasta que los boniatos estén blandos. Para comprobar si están hechos, desenvolver los papillotes y pincharlos con la punta de un cuchillo.

• Cada ración contiene: 132 kilocalorías, 1 g de proteína, 16 g de hidratos de carbono, 8 g de grasa, 1 g de grasa saturada, 2 g de fibra, 0 azúcar añadido, 0,08 g de sal.

Esta ensalada llena de proteínas se puede variar cada vez que se prepara. Basta con cambiar el tipo de lentejas o combinar varias.

Ensalada de lentejas y pimiento rojo

400 g de lentejas escurridas y lavadas
5 pimientos rojos en conserva asados
un puñado de rábanos cortados en trozos
un puñado de aceitunas sin hueso
2 cucharadas de vinagre balsámico
4 cucharadas de aceite de oliva
2 lechugas
150-200 g de queso feta desmenuzado

15 minutos • 4 raciones

1 Poner las lentejas y los pimientos en un bol con los rábanos, la aceitunas, el vinagre y el aceite, y mezclar. Sazonar al gusto. La mezcla de lentejas se puede enfriar durante un día antes de servirla junto con el resto de los ingredientes.
2 Separar o escamochar las hojas de lechuga y presentarlas sobre un plato grande. Cubrirlas con cucharadas de ensalada de lenteja y con el queso feta.

• Cada ración contiene: 634 kilocalorías, 22 g de proteína, 29 g de hidratos de carbono, 49 g de grasa, 14 g de grasa saturada, 9 g de fibra, 12 g de azúcar, 6,81 g de sal.

Esta ensalada refrescante combina perfectamente con pescados y pollo adobados con sabores aromáticos de Asia.

Ensalada tailandesa de pepino con aliño amargo de chile

1 pepino
1 lechuga cortada en tiras
140 g de judías germinadas
un manojo de hojas de cilantro fresco picadas
un manojo de hojas de menta fresca picadas

PARA EL ADEREZO
1 cucharadita de vinagre de vino de arroz
1 cucharada de caldo de pescado
½ cucharadita de azúcar de grano fino mascabado
2 chiles rojos sin semilla y muy picados

10 minutos • 4 raciones

1 Mezclar los ingredientes del aliño y remover hasta que se disuelva el azúcar.
2 Laminar el pepino con un pelapatatas y poner las láminas en una fuente para verduras grande.
3 Añadir el resto de la ensalada, verter el aliño y mezclar. Servir inmediatamente.

• Cada ración contiene: 27 kilocalorías, 2 g de proteína, 4 g de hidratos de carbono, 1 g de grasa, 0 grasa saturada, 1 g de fibra, 3 g de azúcar, 0,75 g de sal.

Tras remover las patatas con el aliño, se tapa la fuente y se mantienen calientes durante una hora a la espera del resto del menú.

Ensalada de patatas con hierbas aromáticas

800 g de patatas nuevas con bajo contenido de almidón
4 cucharaditas de mostaza de Dijon
4 cucharaditas de vinagre de vino blanco
4 cucharadas de aceite de oliva
2 cucharadas de cebolleta, de perejil y de estragón frescos, cortados o picados
una base de ensalada de hojas de verduras para servir

10-35 minutos • 4 raciones

1 Hervir las patatas enteras, o cocinarlas al vapor, durante 10-15 minutos o hasta que estén blandas al pincharlas. Sacarlas y apartarlas para que se enfríen un poco.

2 Batir la mostaza y el vinagre en una fuente para verduras grande hasta que queden cremosos, añadirles el aceite y sazonarlos al gusto. Si se prefiere, se vuelven a batir hasta que se mezclen.

3 Cortar las patatas por la mitad o en rodajas y mezclarlas con las hierbas aromáticas en la fuente de aliño. Servir sobre una base de ensalada de hojas de verduras.

• Cada ración contiene: 252 kilocalorías, 4 g de proteína, 33 g de hidratos de carbono, 12 g de grasa, 2 g de grasa saturada, 2 g de fibra, 0 azúcar, 0,44 g de sal.

El arroz salvaje tiene una textura un poco más consistente que el resto de arroces y, combinado con ellos, añade un toque de color a los festines al fresco.

Ensalada de arroz salvaje y feta

250 g de arroz basmati y de arroz salvaje combinados
400 g de garbanzos escurridos
100 g de arándanos secos
1 cebolla roja o morada cortada en aros
1 diente de ajo machacado
3 cucharadas de aceite de oliva
2 cucharadas de zumo de limón fresco
200 g de queso feta bajo en grasa
un puñado de hojas de perejil picadas

30 minutos • 4 raciones

1 Lavar el arroz y cocinarlo según las instrucciones del envase. Los garbanzos se añaden durante los últimos 4 minutos de cocción. Escurrirlos y dejarlos enfriar un poco antes de mezclarlos con los arándanos y la cebolla.
2 Para preparar el aliño, batir el ajo, el aceite y el zumo de limón, y condimentarlo. Removerlo con la mezcla de arroz y servir en una fuente grande. Espolvorear con el queso y el perejil picado. Se puede servir frío o caliente.

• Cada ración contiene: 519 kilocalorías, 20 g de proteína, 79 g de hidratos de carbono, 16 g de grasa, 5 g de grasa saturada, 4 g de fibra, 19 g de azúcar, 1,82 g de sal.

Asar pimientos es muy fácil y estos pueden resultar más sanos que los envasados, que a menudo se conservan en aceite.

Vegetales estivales asados a la parrilla y aliñados

4 pimientos rojos
3 berenjenas cortadas en rodajas del grosor de un dedo
3 calabacines cortados diagonalmente en rodajas del grosor de un dedo
4 cebollas rojas o moradas cortadas en rodajas del grosor de un dedo
un manojo grande de perejil picado
2 dientes de ajo machacados

PARA EL ADEREZO
5 cucharadas de vinagre de jerez
100 ml de aceite de oliva

50 minutos • 10 raciones

1 Batir los ingredientes del aliño con algo de sazón en un bol. Calentar la plancha y asar los pimientos hasta que la piel esté negra. Poner en un bol y tapar hasta que se enfríen.
2 Asar las demás verduras a la plancha sin aceite hasta que se tuesten por completo y se ablanden. Cuando estén hechas, pasarlas directamente al aliño. Dividir las cebollas en anillos. Pelar los pimientos y conservar sus jugos en el bol, extraerles las semillas y cortarlos en tiras. Mezclar con el resto de las verduras y añadir los jugos pasados por un colador. Dejar enfriar y después sazonar.
3 Esta ensalada se puede conservar en la nevera 2 días, pero se debe sacar unas horas antes de servir para consumirla a temperatura ambiente. Mezclarla con el perejil y el ajo antes de servir.

• Cada ración contiene: 138 kilocalorías, 3 g de proteína, 10 g de hidratos de carbono, 10 g de grasa, 1 g de grasa saturada, 4 g de fibra, 8 g de azúcar, 0,02 g de sal.

Vale la pena emplear un aceite de oliva de buena calidad en esta ensalada para que realce el sabor del tomate.

Ensalada de tomate y menta

400 g de tomates cherry cortados por la mitad
1 cebolla roja o morada pequeña muy picada
un puñado de hojas de menta fresca
aceite de oliva virgen extra para rociar
ralladura de 1 limón

10 minutos • 6 raciones

1 Poner los tomates cortados en un plato grande o una bandeja para servir. Esparcir la cebolla por encima y después desmenuzar las hojas de menta. Tapar durante 3-4 horas.
2 Inmediatamente antes de servir, rociar la ensalada con un poco de aceite de oliva virgen extra de calidad y sazonarla bien. Esparcir la ralladura de limón por encima y servirla con otros platos a la barbacoa inspirados en la cocina italiana.

• Cada ración contiene: 62 kilocalorías, 1 g de proteína, 3 g de hidratos de carbono, 5 g de grasa, 1 g de grasa saturada, 1 g de fibra, 0 azúcar añadido, 0,02 g de sal.

El maíz es una guarnición clásica de las barbacoas. Aquí se trata de una ensalada inspirada en la cocina mexicana que resulta ideal con pollo o chuletas especiados.

Ensalada de tortilla mexicana y judías

1 cucharada de aceite vegetal
180 g de maíz tierno escurrido
180 g de alubias blancas escurridas y lavadas
225 g de hojas de ensalada mixta de verduras
un puñado de trozos de tortilla mexicana frita
50 ml de nata fresca
una pizca de azúcar
ralladura y zumo de 1 limón

15 minutos • 6 raciones

1 Calentar aceite en un sartén. Cuando esté caliente, mezclar con el maíz tierno. Saltearlo durante 3 minutos y removerlo a menudo hasta que se dore. Reservar y dejar enfriar.
2 Añadir el maíz en una fuente de verduras grande con las judías, las hojas de verduras y los trozos de tortilla frita.
3 Para preparar el aliño, mezclar en un bol pequeño la nata fresca, el azúcar y la ralladura y el zumo del limón. Rociar sobre la ensalada y servir.

• Cada ración contiene: 109 kilocalorías, 3 g de proteína, 14 g de hidratos de carbono, 5 g de grasa, 1 g de grasa saturada, 2 g de fibra, 2 g de azúcar añadido, 0,46 g de sal.

Si se separa el cuscús en un lado del bol tan pronto se añade el agua, se evita que los granos que quedan en el fondo se pasen.

Ensalada tricolor de cuscús

200 g de cuscús
2 cucharadas de caldo de verdura en polvo o 1 pastilla desmenuzada
250 g de tomates cherry cortados por la mitad
2 aguacates pelados sin hueso y troceados
150 g de queso mozzarella escurrido y troceado
un puñado de hojas de rúcula u hojas tiernas de espinaca

PARA EL ADEREZO
1 cucharada colmada de salsa pesto
1 cucharada de zumo de limón fresco
3 cucharadas de aceite de oliva

15 minutos • 4 raciones

1 Mezclar el cuscús con el caldo en un bol, 300 ml de agua hirviendo, tapar con un plato y dejar reposar durante 5 minutos.
2 Para preparar el aliño, mezclar el pesto con el zumo de limón y algún condimento, e incorporar gradualmente el aceite. Verter sobre el cuscús y remover con un tenedor.
3 Añadir el tomate, el aguacate y el queso con el cuscús, y después agregar y remover la rúcula o la espinaca antes de servir.

• Cada ración contiene: 456 kilocalorías, 13 g de proteína, 30 g de hidratos de carbono, 32 g de grasa, 8 g de grasa saturada, 3 g de fibra, 3 g de azúcar, 0,60 g de sal.

La limonada es la bebida perfecta para un caluroso día de verano porque aporta frescor y vitaminas.

Limonada

3 limones picados
140 g de azúcar de grano fino
1 l de agua fría
cubitos de hielo de agua natural o con trozos de fruta para servir

10 minutos • 4 raciones

1 Poner el limón, el azúcar y la mitad del agua en un robot de cocina y batir hasta que el limón quede desmenuzado.

2 Colar la mezcla sobre un bol para exprimirle la mayor cantidad de zumo posible. Añadirle el resto de agua. Servir con los cubitos de hielo de agua natural o de agua con trozos congelados de lima o de limón.

• Cada ración contiene: 140 kilocalorías, 0 proteína, 37 g de hidratos de carbono, 0 grasa, 0 grasa saturada, 0 fibra, 37 g de azúcar, 0,1 g de sal.

Con esta receta no hace falta una sorbetera para lograr una textura aterciopelada; aunque, si se tiene una, se puede emplear.

Helado de arándanos, coco y lima

2 limas
140 g de azúcar de grano fino
125 g de arándanos, más otro poco para servir
de 200 ml crema de coco
284 ml nata para montar

20-25 minutos, más algunas horas para helar • 4-6 raciones

1 Rallar la corteza de una de las limas y extraer el zumo de ambas. Poner en una cacerola con el azúcar y calentar removiendo. Añadir los arándanos y hervir a fuego lento durante 2 minutos hasta que la piel se abra. Poner en un bol y mezclar con la crema de coco. Enfriar.

2 Batir la nata. Añadirle la mezcla de arándanos. Poner la mezcla del helado en el congelador durante 1 hora.

3 Extraer, batir y volver a poner en el congelador durante 1 hora más. Batir de nuevo. Pasar la crema helada a un depósito rígido, taparla y dejar en el congelador hasta que se endurezca. Antes de servir el helado, pasarlo del congelador a la nevera durante 30 minutos. Presentar con el resto de los arándanos esparcidos por encima.

• Cada ración (6) contiene: 429 kilocalorías, 3 g de proteína, 29 g de hidratos de carbono, 35 g de grasa, 24 g de grasa saturada, 1 g de fibra, 25 g de azúcar añadido, 0,05 g de sal.

El vino santo, un licor toscano para postres, es una delicia italiana. También se puede emplear otro vino dulce.

Parfait de fresa con vino santo, mascarpone y bizcochos de almendra

1 caja de bizcochos de almendra
100 ml de vino santo u otro vino dulce para postres
400 g de fresas sin rabito y cortadas longitudinalmente por la mitad
50 g de azúcar de grano fino
284 g de queso mascarpone
284 ml de nata para montar

20-25 minutos • 6 raciones

1 Poner los bizcochos en una bolsa de plástico y pasarles suavemente por encima el extremo de un rodillo para desmenuzarlos un poco. Ponerlos en un bol, rociarlos con el vino santo y revolver. En un bol pequeño, aplastar ligeramente la mitad de las fresas y el azúcar con un tenedor.
2 Batir el queso con la nata para montar en un bol mediano hasta que adquiera consistencia. Extender la mitad del bizcocho mojado en un bol de cristal con capacidad para 1 l. Cubrirlo con la mitad de las fresas aplastadas y después con la mitad de la mezcla de queso. Repetir el proceso hasta consumir todos los ingredientes y completar con una capa de mezcla de queso. Cortar el resto de las fresas en rodajas longitudinales y esparcirlas por encima. Enfriar antes de servir.

• Cada ración contiene: 660 kilocalorías, 5 g de proteína, 52 g de hidratos de carbono, 48 g de grasa, 28 g de grasa saturada, 1 g de fibra, 18 g de azúcar añadido, 0,58 g de sal.

Una forma ultrarrápida de alegrar un helado industrial y ponerle un dulce final a una barbacoa improvisada.

Copa de helado de plátano con caramelo

1 tarrina de helado de plátano
2 plátanos maduros cortados en rodajas
un puñadito de nueces de pacana tostadas y machacadas

PARA EL CARAMELO
50 g de mantequilla
5 cucharadas de azúcar moreno
142 ml de nata doble

5 minutos • 4 raciones

1 Para preparar el caramelo, derretir la mantequilla, el azúcar y la nata en una cacerola pequeña a temperatura baja. Aumentar la temperatura y hacerlos bullir durante un par de minutos mientras se remueven hasta obtener un jarabe suave y brillante. Pasar a una jarra y dejar enfriar.

2 Para servir, poner bolas de helado en 4 copas con las rodajas de plátano y un poco del caramelo. Completar con un último toque de caramelo y algunas nueces esparcidas por encima.

• Cada ración contiene: 637 kilocalorías, 6 g de proteína, 62,4 g de hidratos de carbono, 42,1 g de grasa, 24,1 g de grasa saturada, 0,7 g de fibra, 59,9 g de azúcar, 0,42 g de sal.

Esta es una alternativa más ligera y espumosa al vino tinto.
La receta perfecta para una bebida al aire libre en verano.

Refresco de vino tinto

750 ml de vino tinto afrutado
600 ml de limonada
1 limón
ramitas de menta fresca

5 minutos • 8 raciones

1 Enfriar el vino tinto y la limonada hasta el momento de servir. Cortar el limón en rodajas finas.
2 Cuando se esté a punto de servir, mezclar el vino y la limonada en una jarra grande. Presentar en vasos adornados con rodajas de limón y unas ramitas de menta.

• Cada ración contiene: 83 kilocalorías, 0,2 g de proteína, 4,9 g de hidratos de carbono, 0 grasa, 0 grasa saturada, 0 fibra, 4,9 g de azúcar, 0,03 g de sal.

Este helado sin leche adquiere su textura espesa gracias a la crema de coco.

Helado de piña y coco con piña rehogada

1 piña grande y 1 piña mediana
175 g de azúcar glas
200 ml de crema de coco

PARA EL ALMÍBAR
100 g de azúcar de grano fino
1 rama de canela
hojas de menta fresca para servir

50 minutos, más el tiempo para helar
• 6 raciones

1 Cortar la piña grande longitudinalmente por la mitad y después en cuartos. Eliminar el corazón. Trocear el resto de la pulpa y pasarla por un robot de cocina hasta obtener un puré. Añadir y remover el zumo de lima, el azúcar y la crema de coco. Poner esta mezcla en un bol en el congelador durante 2-3 horas. Sacarla del congelador y batirla para romper los cristales de hielo grandes. Volver a congelarla durante 1-2 horas más.
2 Cortar la segunda piña en rodajas. Calentar el azúcar, la canela y 2 cucharadas de agua hasta que el azúcar se disuelva y hervir hasta obtener un almíbar a punto de hebra. Añadir las rodajas de piña y cocer 2-3 minutos. Retirar.
3 Servir con rodajas de piña y menta por encima y canela en rama extraída del almíbar.

• Cada ración contiene: 397 kilocalorías, 2 g de proteína, 75 g de hidratos de carbono, 12 g de grasa, 10 g de grasa saturada, 3 g de fibra, 48 g de azúcar añadido, algunas trazas de sal.

Preparar nuestra propia gelatina con zumo natural de frutas aporta mucho más sabor y menos azúcar.

Gelatina de zumo natural de fruta con helado

6 hojas de gelatina
1 l de zumo natural de naranja, mango y maracuyá

PARA SERVIR
500 ml de helado de vainilla de calidad

1 hora y 5 minutos • 12 raciones pequeñas o 6 raciones grandes

1 Poner las hojas de gelatina en un bol y cubrirlas con agua fría. Dejarlas ablandar durante algunos minutos. Mientras, calentar el zumo lentamente en una cacerola sin dejarlo hervir. Reservar. Extraer la gelatina del agua, exprimir el exceso de líquido y añadirla a la cacerola con el zumo. Remover hasta que la gelatina se derrita. Verter en 6 o 12 moldes, tarros o vasos, y poner a enfriar durante 1 hora como mínimo hasta que se solidifiquen.

2 Servir cada ración de gelatina de zumo con una bola de helado por encima. Para obtener minibolas perfectas, se introduce una cuchara en una taza de agua caliente, se sacude el exceso de líquido y se toman cucharadas de helado tras sumergir la cuchara en el agua caliente en cada ocasión.

• Cada ración (12) contiene: 92 kilocalorías, 4 g de proteína, 15 g de hidratos de carbono, 2 g de grasa, 1 g de grasa saturada, 2 g de fibra, 13 g de azúcar añadido, 0,05 g de sal.

Este es un plato muy socorrido para servirlo en situaciones inesperadas.

Tarta de queso helada de plátano y crema de cacahuete

- 3 plátanos pequeños
- 50 g de mantequilla derretida
- 10 galletas integrales machacadas en trozos
- 142 ml de nata para montar
- 140 g de azúcar glas
- 400 g de pasta de queso
- ½ cucharadita de extracto de vainilla
- 1 tarro de crema de cacahuete crujiente

30 minutos, más el tiempo para helar
• 8-10 raciones

1 Congelar dos plátanos hasta que la piel se ponga negra. Pelarlos y descongelarlos, y después aplastarlos y reservar.

2 Mezclar la mantequilla con las galletas y comprimirlas en el fondo de un molde redondo para bizcocho de 22 cm desmontable. Montar la nata. Batir el azúcar, la crema de queso y la vainilla en otro bol hasta que estén cremosos. Batir la crema de cacahuete.

3 Añadir la mezcla de crema de queso a la de cacahuete con el puré de plátano e incorporar la nata. Extender sobre la base de galleta y alisar su superficie. Congelarla durante algunas horas. Para servir, pasar la tarta del congelador a la nevera durante 20 minutos y extraerla del molde. Decorarla con rodajas de plátano.

• Cada ración (8) contiene: 624 kilocalorías, 12 g de proteína, 43 g de hidratos de carbono, 46 g de grasa, 21 g de grasa saturada, 3 g de fibra, 30 g de azúcar añadido, 1,18 g de sal.

Este cóctel de vino espumoso es una forma deliciosa de comenzar la noche. Es aconsejable duplicar las raciones, puesto que los invitados querrán más de una copa.

Julepe espumoso de menta y limón

85 g de azúcar de grano fino
4 cucharadas de zumo de limón fresco

PARA SERVIR
1 botella de 75 cl de vino espumoso frío (el cava es una buena opción)
20 g de menta fresca

15 minutos, más el tiempo para enfriar
• 6 raciones

1 Poner el azúcar y el zumo en una cacerola pequeña y calentarlos lentamente hasta que el azúcar se disuelva. Hervir a fuego lento durante 2 minutos hasta obtener un almíbar. Retirar del calor y dejar refrescar. El almíbar se puede preparar antes y conservar en la nevera hasta una semana.

2 Verter el almíbar de limón en 6 copas para cava o en vasos largos. Rellenar las copas con el cava frío y remover rápidamente antes de servirlo con un ramito de menta encima.

• Cada ración contiene: 149 kilocalorías, 11 g de proteína, 21,5 g de hidratos de carbono, 0 grasa, 0 grasa saturada, 0 fibra, 21,4 g de azúcar añadido, 0,02 g de sal.

El albaricoque, con su surco, resulta encantador cuando se sirve entero; aunque, si se prefiere, se puede cortar por la mitad antes de cocerlo.

Albaricoque estival a la provenzal

75 cl de vino rosado afrutado
175 g de azúcar de grano fino
1 vaina de vainilla abierta longitudinalmente con un cuchillo afilado y cortada en 4 trozos dejando las semillas
700 g de albaricoques frescos y maduros
helado de vainilla para servir

35-45 minutos • 4 raciones

1 Verter el vino en una cacerola con el azúcar y los trozos de vainilla. Remover a temperatura baja hasta que se disuelva el azúcar antes de añadir los albaricoques. Tapar y dejarlos cocer lentamente hasta que se ablanden. Para ablandar la fruta entera, se necesitan unos 15-20 minutos; para las mitades, unos 10-15 minutos.

2 Sacar los albaricoques y ponerlos en un bol. Reducir el líquido a temperatura alta durante 8-10 minutos hasta obtener un almíbar a punto de hebra. Verterlo sobre los albaricoques y dejarlos enfriar. Se sirven fríos o calientes con helado de vainilla y un trozo de vainilla como guarnición.

• Cada ración contiene: 356 kilocalorías, 2 g de proteína, 62 g de hidratos de carbono, 0 grasa, 3 g de grasa saturada, 3 g de fibra, 46 g de azúcar añadido, 0,03 g de sal.

El postre perfecto para una reunión de amigos. Solo hay que derretir, mezclar y guardar en la nevera.

Pastel de chocolate y nueces

100 g de mantequilla
400 g de chocolate puro
50 g de azúcar
½ cucharadita de canela molida
200 g de bizcochos de soletilla troceados
100 g de nueces de Brasil picadas
coco seco para la guarnición

20 minutos, más el tiempo para enfriar
• 6 raciones

1 Cubrir con film transparente un molde rectangular para pan de 900 g. Derretir la mantequilla, el chocolate y el azúcar en un bol colocado dentro de una cacerola de agua hirviendo a temperatura baja. Añadir la canela, los bizcochos y las nueces mientras se remueve.
2 Verter esta mezcla dentro del molde, alisar la superficie con un cuchillo y cubrirla completamente con película adherente. Guardarla en la nevera por lo menos 2 horas para que se solidifique.
3 Para servirla, ponerla en un plato, quitarle la película adherente y esparcir el coco seco por encima. Se trata de un pastel particularmente nutritivo, por lo que los trozos deben cortarse finos. Servir con fruta fresca o helado al gusto.

• Cada ración contiene: 759 kilocalorías, 9 g de proteína, 73 g de hidratos de carbono, 50 g de grasa, 22 g de grasa saturada, 3 g de fibra, 70 g de azúcar añadido, 0,32 g de sal.

Los arándanos pueden sustituirse por frambuesas, grosellas o fresas troceadas. La mayoría de las bayas de verano sirve para preparar esta receta.

Tarta de queso con arándanos y lima

300 g de bizcochos dulces de avena desmenuzados
100 g de mantequilla derretida
500 g de arándanos
225 g de azúcar de grano fino
ralladura y zumo de 2 limas
500 g de queso fresco tipo quark
284 ml de nata para montar
300 ml de nata con unas gotas de limón
4 cucharaditas de gelatina en polvo

1 hora, más el tiempo para enfriar
• 8 raciones

1 Calentar el horno a 180 °C. Forrar un molde para bizcocho de 23 cm. Mezclar el bizcocho con la mantequilla. Hornear 10 minutos.
2 Cocer 1/3 de los arándanos, 175 g del azúcar, la ralladura de 1 lima y 3 cucharadas de agua durante 2 minutos. Pasar colado a una cacerola sin los arándanos.
3 Batir el queso y las natas con el resto del azúcar, ralladura de lima y zumo. Espolvorear la gelatina en 3 cucharadas de agua. Dejar que se esponje y disolverla en agua a temperatura baja. Batir un poco de la mezcla de nata con la gelatina y remover con el resto de la mezcla. Verter las bayas cocidas. Distribuir sobre la base de bizcocho. Enfriar 4 horas.
4 Hervir durante 2 minutos el jugo que se había guardado hasta conseguir un almíbar. Añadir el resto de las bayas, y enfriar.

• Cada ración contiene: 689 kilocalorías, 16 g de proteína, 63 g de hidrato de carbono, 44 g de grasa, 26 g de grasa saturada, 1 g de fibra, 37 g de azúcar añadido, 0,75 g de sal.

Esta receta con fruta es fácil de preparar, y parece lo bastante especial para agasajar a nuestros invitados.

Copa de bizcocho con frutas

4 cucharadas de crema de limón
200 g de yogur griego
250 g de queso fresco bajo en grasa
400 g de fresas sin rabito
8 galletas dulces de mantequilla desmenuzadas

15-20 minutos • 4 raciones

1 Mezclar la crema de limón, el yogur y el queso fresco. Machacar las fresas y añadirles esta mezcla.
2 Depositar la mitad de la galleta dentro de cuatro vasos y cubrirla con la mitad del yogur de fruta. Esparcir por encima el resto de la galleta y completar con el resto del yogur.

• Cada ración contiene: 283 kilocalorías, 10 g de proteína, 36 g de hidratos de carbono, 12 g de grasa, 7 g de grasa saturada, 2 g de fibra, 9 g de azúcar añadido, 0,33 g de sal.

Este pudín suculento y muy vistoso es el final ideal para una barbacoa perfecta en verano.

Pudín de verano clásico

300 g de fresas sin rabito cortadas en cuartos
250 g de moras
100 g de grosellas negras
100 g de grosellas rojas
500 g de frambuesas
175 g de azúcar de grano fino
7 rebanadas medianas de pan de molde blanco sin corteza (preferiblemente del día anterior)
una cantidad adicional de bayas y nata para servir

30 minutos, más el tiempo para enfriar
• 8 raciones

1 Lavar y secar la fruta. Separar las fresas. Calentar el azúcar con 3 cucharadas de agua. Llevar al punto de ebullición 1 minuto, y añadir la fruta, y cocer 3 minutos a temperatura baja. Colar y reservar el zumo.
2 Forrar el fondo de una budinera mediana con dos hojas de film transparente superpuestas. Mojar una rebanada de pan en el zumo de fruta y comprimirla en el fondo de la budinera. Cortar diagonalmente rebanadas de pan, mojarlas y comprimirlas alrededor de las paredes de la budinera. Rellenar la budinera con cucharadas de fruta y añadir la fresa. Mojar las últimas rebanadas y tapar el pudín. Envolverlo con el papel adherente y tapar con un plato. Enfriar durante 6 horas.
3 Servir en una fuente, bañado con zumo sobrante y adornado con las bayas adicionales y nata.

• Cada ración contiene: 248 kilocalorías, 6 g de proteína, 57 g de hidratos de carbono, 1 g de grasa, 0 grasa saturada, 9 g de fibra, 43 g de azúcar añadido, 0,45 g de sal.

Los niños se sentirán felices con este refresco lleno de colorido y servido en «copas de adulto».

Fizz tropical sin alcohol

500 ml de zumo de manzana
500 ml de zumo de frutas tropicales
500 ml de soda
un puñado de fresas sin rabito
y cortadas longitudinalmente
por la mitad
1 kiwi pelado y troceado
2 rodajas de piña troceadas

10 minutos • 8 raciones

1 Enfriar los zumos y el agua carbonatada. Mezclar la fruta y distribuirla en ocho copas, taparlas y enfriar.

2 Para servir, mezclar bien los zumos y la soda en una jarra grande. Verterlos sobre los trozos de fruta y consumir inmediatamente.

• Cada ración contiene: 62 kilocalorías, 0,6 g de proteína, 15,6 g de hidratos de carbono, 0,1 g de grasa, 0 grasa saturada, 0,5 g de fibra, 15,6 g de azúcar añadido, 0,01 g de sal.

La fragancia de la albahaca combina muy bien con los melocotones aromatizados. Se sirven calientes directamente de la sartén con bolas de helado de vainilla.

Melocotón con albahaca y miel

25 g de mantequilla sin sal
2 melocotones o nectarinas maduros sin hueso y cortados en cuñas gruesas
2 cucharadas de miel de abeja clara
zumo de 1 naranja
8-10 hojas de albahaca fresca desmenuzadas
helado de vainilla o de chocolate blanco para servir

10 minutos • 4 raciones

1 Derretir la mantequilla en un sartén grande. Añadir los melocotones o las nectarinas. Cocinarlos durante un par de minutos por ambos lados hasta que se ablanden ligeramente.
2 Incorporar la miel y removerla para hacer un jarabe. Agregar el zumo de la naranja y dejar bullir. Añadir la albahaca antes de servir los melocotones con una bola de helado.

• Cada ración (sin el helado) contiene: 101 kilocalorías, 1 g de proteína, 13 g de hidratos de carbono, 5 g de grasa, 3 g de grasa saturada, 1 g de fibra, 6 g de azúcar añadido, 0,01 g de sal.

Este postre se puede preparar con anticipación. Basta con pasarlo del congelador a la nevera antes de servirlo para que no esté muy helado.

Bomba de mango, lima y moras

200 g de moras
250 g de azúcar glas
850 g de mango en almíbar
ralladura y zumo de 4 limas
420 ml de nata para montar
2 barquillos dulces desmenuzados para servir

30 minutos, más el tiempo para helar • 10 raciones

1 Calentar las moras con 4 cucharadas de azúcar y un chorrito de agua en una cacerola. Colar la fruta, dejar enfriar, y congelar.
2 Batir el mango con 75 ml de su propio almíbar y 2 cucharadas de azúcar hasta que esté cremoso. Congelar.
3 Mezclar la ralladura y el zumo de lima con el resto del azúcar. Batir toda la nata con 3 cucharadas del resto del almíbar del mango hasta que esté a punto de nieve. Añadir y batir después la mezcla de azúcar y lima. Congelar.
4 Forrar el fondo de una budinera mediana con película adherente. Batir después las tres mezclas a punto de nieve y rellenar la budinera con cucharadas alternas de cada una para formar capas onduladas. Congelar.
5 Sacar de la budinera, emplatar y quitar la película adherente. Espolvorear con los barquillos.

• Cada ración contiene: 400 kilocalorías, 1 g de proteína, 48 g de hidrato de carbono, 23 g de grasa, 13 g de grasa saturada, 2 g de fibra, 47 g de azúcar, 0,06 g de sal.

Índice

Créditos de fotografía y recetas

La revista *BBC Good Foods* y BBC Books quiere expresar su agradecimiento a las siguientes personas por haber proporcionado las fotos. Aunque nos hemos esforzado al máximo por investigar su procedencia y por acreditar a todos los fotógrafos, queremos pedir disculpas si se ha producido algún error u omisión.

Marie-Louise Avery pp. 185, 191; Iain Bagwell p. 69; Steve Baxter pp. 27, 113; Peter Cassidy pp. 121, 173; Jean Cazals pp. 39, 43, 109, 131; Tim Evans-Cook p. 183; Ken Field p. 123; Will Heap pp. 45, 47, 135; Dean Grennan p. 143; Lisa Linder p. 167; William Lingwood pp. 65, 203; Gareth Morgans pp. 6, 15, 23, 41, 51, 61, 63, 67, 89, 95, 99, 103, 107, 119, 133, 163, 177; David Munns pp. 21, 35, 97, 105, 125, 137, 139, 161, 181, 189, 205, 209; Noel Murphy p. 171; Myles New pp. 11, 19, 25, 37, 55, 59, 81, 115, 117, 127, 165, 169, 187, 207; Elizabeth Parsons pp. 13, 49, 57, 83, 85, 87, 91, 147, 157; Craig Robertson pp. 17, 93, 179, 211; Howard Shooter p. 77; Roger Stowell pp. 31, 53, 149, 153, 195, 196; Simon Walton pp. 101, 129, 141, 159; Cameron Watt p. 29; Philip Webb pp. 73, 111, 145, 151, 193, 200; Simon Wheeler p. 71, 75, 79, 155; Tim Young, p. 175; Elizabeth Zeschin p. 33.

Todas las recetas de este libro han sido creadas por el equipo editorial de *Good Food* y colaboradores habituales de la revista.